ro
ro
ro

ro
ro
ro

Wolf Haas wurde 1960 in Maria Alm am Steinernen Meer geboren. Nach seinem Linguistik-Studium war er zwei Jahre Uni-Lektor in Swansea (Südwales), anschließend arbeitete er als Werbetexter in Wien. Mit seinem Romandebüt «Auferstehung der Toten» schrieb er sich auf Anhieb «in die erste Liga der deutschsprachigen Krimiautoren» (*Facts*). Mehrere seiner Romane (siehe Anhang) wurden mit dem Deutschen Krimi-Preis ausgezeichnet. Haas lebt als freier Autor in Wien.

«Ein erstaunliches Debüt. Vielleicht der beste deutschsprachige Kriminalroman des Jahres.» (*Frankfurter Rundschau*)

Wolf Haas

Auferstehung der Toten

Roman

Rowohlt Taschenbuch Verlag

14. Auflage Oktober 2006

Originalausgabe
Veröffentlicht im Rowohlt Taschenbuch Verlag,
Reinbek bei Hamburg, September 1996

Redaktion Wolfram Hämmerling
Umschlaggestaltung Notburga Stelzer
(Illustration: Jürgen Mick)
Satz Bembo (Linotronic 500)
Gesamtherstellung Clausen & Bosse, Leck
Printed in Germany
ISBN 13: 978 3 499 22831 5
ISBN 10: 3 499 22831 9

1

Von Amerika aus betrachtet, ist Zell ein winziger Punkt. Irgendwo mitten in Europa. Aber vom Pinzgau aus gesehen, ist Zell die Hauptstadt des Pinzgaus. Zehntausend Einwohner, dreißig Dreitausender, achtundfünfzig Lifte, ein See. Und ob du es glaubst oder nicht. Zwei Amerikaner sind letzten Dezember in Zell umgebracht worden. Aber jetzt paß auf.

Der Schitourismus hat nach dem Krieg den Wohlstand nach Zell gebracht. Mit dem Schnee ist auf einmal das Geld am Boden gelegen. Aber natürlich, zu faul zum Bücken und Aufheben darfst du auch nicht sein.

Wenn du dir zum Beispiel die Liftsteher anschaust. Die müssen den ganzen Tag nur aufpassen, daß ihnen keiner aus dem Lift herausfällt. Tagtäglich rutschen an ihnen Tausende Schifahrer vorbei. Normalerweise fällt von denen natürlich nie einer aus dem Lift, aber wenn es einmal vorkommt, auch kein Malheur. Muß der Liftsteher nur zum Not-Off-Schalter gehen und den Lift abstellen. Und doch keine leichte Arbeit. Schaut leicht aus, ist aber nicht so leicht, wie es ausschaut. Weil die Kälte, da kann dir das Christkind noch so einen guten Thermoanzug bringen. Nützt auf die Dauer gar nichts. Deshalb erkennst du im ganzen Land die Liftmänner an ihren erfrorenen roten Nasen. Daß man glauben könnte, das sind gar keine Liftsteher, sondern heimliche Clowns, die sich über den Affenzirkus lustig machen, den sie bei jedem Wetter durch die Gegend jagen.

Der Lift Lois aber, von dem die Leute erzählen, daß er früher manchmal einheimische Kinder gratis durchgelassen hat, hat am Morgen des 22. Dezember, nach der längsten Nacht des Jahres, über etwas ganz anderes geflucht. Nicht über das Sauwetter, obwohl ein Sauwetter gewesen ist.

Wie immer ist er zusammen mit dem Wörgötter im Rad-Trac zur Talstation des Panoramalifts hinaufgefahren. Dort hat ihn der Wörgötter in die Dämmerung hinaushüpfen lassen, und er ist gleich in die Lifthütte und hat wie jeden Morgen zuerst den Radiator und dann das Radio aufgedreht.

Wie jeden Morgen hat einer von den jungen Rotzern am Vorabend Ö3 eingestellt, und natürlich, der Lift Lois hat dazu nur «Negerkanal» gesagt. Er dreht jetzt wie jeden Morgen das Sendersuchrad ganz langsam nach links, weil das ist noch ein altes Radio gewesen. Einen Menschen, der noch langsamer als der Lois den Senderknopf dreht, findest du nicht leicht. Daß du glaubst: Bombenentschärfung. Dann kommt noch dazu, daß der kleine Finger vom Lift Lois wie ein dürrer Ast weggestanden ist. Weil den hat er sich als Kind mit der Kreissäge angeschnitten.

Dann ist er endlich zu seinem Sender gekommen. Wo es immer um die alten Zeiten gegangen ist. Und eine gute Musik. Vor einer halben Stunde hat der Lift Lois noch fest geschlafen. Jetzt hat er sich gern zu seinem Thermoskaffee diese alten Geschichten angehört.

Zum Beispiel mit dem Schnee. Immer wieder haben sie die Geschichte ausgegraben, daß es früher, vor zwanzig, ja noch vor ein paar Jahren, viel mehr Schnee gegeben hat. Und der Lift Lois hat natürlich am besten gewußt: kein Wort wahr.

Das Gerücht ist nur von den Lift- und Pensionsbesitzern in die Welt gesetzt worden, weil es nur jeden zweiten oder dritten Winter während der Weihnachtsfeiertage ordentlichen Schnee gegeben hat. Und natürlich – die Schitouristen nicht zufrieden, sparen das ganze Jahr im Ruhrgebiet und sitzen dann in ihrem Hotelzimmer.

Oder sie rutschen über die nur angezuckerten Felder und ruinieren sich die neue Schiausrüstung schon am ersten Tag. Da haben ihnen die Gastronomen gern die Geschichte von der Klimaverschiebung serviert. Weil so ist der Mensch, ein großes Unglück wie die Zerstörung der Erde verkraftet er viel leichter als ein kleines Unglück wie die Zerstörung der neuen Schi.

Und wenn du heute irgendwo Tourist bist, freust du dich, wenn ein Einheimischer mit dir redet. Deshalb haben sich die deutschen und holländischen Touristen seit jeher von jedem Kellner und von jedem Tankwart die Geschichte auftischen lassen, daß früher alles, und besonders der Schnee, viel besser gewesen ist. Und sie haben geduldig auf den Jänner gewartet, weil es im Jänner sicher schneit, oft so viel, daß man wegen der Lawinen wieder nicht fahren kann.

Aber diesen Dezember ist alles anders gewesen. Es war so viel Schnee, daß der Lift Lois fast nicht aus der Lifthütte hinausgesehen hat, in der er gerade einen Schluck Thermoskaffee getrunken hat. Im Radio hat einer erzählt, wann zuletzt so viel Schnee gewesen ist. Ob du es glaubst oder nicht: vor dem Krieg.

Wie der Lift Lois aus der Hütte hinausgeht, weil er den Sessellift für den vorgeschriebenen Probelauf in Gang setzen muß, sieht er noch, wie die Pistenraupe des Wörgötter kaum gegen den Schnee ankommt. «Weißes Gold», haben sie in Zell dazu gesagt. Außer dem Lärm der Pistenraupe und des anlaufenden Sessellifts hat der Lift Lois in diesem Moment nichts gehört. Er ist ja zwei Lifte vom Dorf entfernt gewesen, er hat das Dorf nicht einmal sehen können, weil er nicht einmal 20 Meter durch den dichten Schneefall gesehen hat.

Auch die Pistenraupe hat der Lift Lois nicht mehr gesehen, aber da schaltet der Wörgötter die acht Scheinwerfer des Rad-Trac ein, und natürlich. Auf einen Schlag der gesamte Steilhang taghell beleuchtet an diesem dunklen Morgen nach der längsten Nacht des Jahres.

Das Paket, das sich auf einem der Liftsessel langsam nähert, kann der Lift Lois aber immer noch nicht richtig erkennen. Er hat sich natürlich gewundert, wie da etwas auf dem Sessel sein kann. Der Lift muß jeden Abend eine Kontrollrunde fahren, damit ja nichts in einem der Sessel vergessen wird. Es ist der älteste Sessellift in Zell gewesen, noch ein Einzelsessellift, nicht einmal Doppelsessel hat der gehabt. Aber solange sich der Lift Lois erinnert hat, und er ist am zweitlängsten von allen beim Lift gewesen, ist noch nie am Morgen etwas auf einem Sessel gewesen.

«Die Rotzer!» flucht der Lift Lois, und ihm ist jetzt schon kalt gewesen in dem Schneewind, weil der jedes Jahr genau um so viel schärfer geworden ist, wie die Anoraks besser geworden sind.

«Die Rotzer sind gestern keine Kontrollrunde gefahren!»

Das sind dieselben jungen Rotzer gewesen, die im Radio immer den Negerkanal einstellen. Und je näher das riesige Bündel kommt, um so düsterer werden dem Lift Lois seine Gedanken.

Er hat sehr gute Augen gehabt, weil er sie immer mit seiner Carrera-Sonnenbrille geschützt hat, die ihm vor Jahren das Christkind gebracht hat. Aber das Bündel ist von einer so dicken Schneedecke bedeckt gewesen, daß er immer noch nicht mit Sicherheit erkannt hat, was es war. Obwohl es nur noch ein paar Sessel von der Talstation entfernt gewesen ist. So hat es der Lift Lois dann am Abend beim *Rainerwirt* erzählt.

«Jetzt hab ich schon erkannt, daß es keine leere Bierkiste von der Bergdisko *Neuseeland* gewesen ist, wie ich zuerst geglaubt habe. Aber dann», hat der Lift Lois am 22. beim *Rainerwirt* erzählt, und am 23. hat er es beim *Hirschen* fast im selben Wortlaut noch einmal erzählt:

«Aber dann ist mir anders geworden.»

Vierzig Jahre ist der Lift Lois am Lift gestanden, und unzählige schwere Unfälle sind in dieser Zeit auf den Pisten passiert. Oft hat der Hubschrauber *Martin* kommen müssen, zweimal ist jemand aus dem Sessel gefallen, und sogar Tote hat es so viele gegeben, daß sie dem Lois mit der Zeit durcheinandergekommen sind.

Ganz zu schweigen von den Opfern des *Neuseeland*, die

sich in der Dunkelheit die Pisten hinunterstürzen. Die Betrunkenen fallen in den Schnee und sind dann zu müde zum Aufstehen. Und wenn du betrunken bist, kommt dir der Schnee warm vor. Bleiben sie im warmen Schnee liegen und schlafen ein bißchen. Am nächsten Morgen kann man die Leichen dann nur mehr nach Deutschland zurückschicken.

Aber eine Leiche in einem Liftsessel bei der morgendlichen Proberunde ist dem Lift Lois noch nicht untergekommen.

«In Gottes Namen!» hat der Lift Lois ausgerufen.

Jetzt mußt du wissen, daß der Lois schon seit Jahren beim Heimattheater mitgespielt hat. Das Heimattheater ist Mitte der sechziger Jahre vom Fremdenverkehrsverein gegründet worden. Aber den Gästen ist es natürlich als ein Relikt aus der Steinzeit verkauft worden. Diesen Winter haben sie *Die Wahrheit über Moser Gudrun* gespielt. Ein Stück in drei Akten, ist auf dem Plakat gestanden, von Silvia Soll. Und bei den Darstellern ist der Lift Lois schon als dritter auf dem Plakat gestanden: «Alois Mitteregger (Lift Lois)».

Der Lift Lois ist ein Publikumsliebling beim Heimattheater gewesen. Aber wie er beim *Rainerwirt* den Vorfall von der Talstation geschildert hat, da ist das Heimattheater nichts dagegen gewesen:

«In Gottes Namen, habe ich ausgerufen», hat er so laut ausgerufen, daß man es im ganzen Wirtshaussaal gut verstanden hat. «Ich schalte den Lift aus, so schnell es geht, beim Not-Off. Obwohl klar ist, daß hier nichts mehr zu machen ist. Aber wenn du erschrocken bist, tust du es so schnell wie möglich. Auch wenn es keinen Sinn hat. Weil wenn in der Früh einer am Lift sitzt, ist er die ganze Nacht gesessen. Weil zwischendurch fahren wir nicht», sagt der Lift Lois.

«Ich habe natürlich einen Schreck gekriegt und so schnell wie möglich den Lift zum Stehen gebracht. Erste Hilfe haben wir ja. Mund zu Mund. Aber was willst du da noch lange Mund zu Mund, wenn 15 Zentimeter Schnee auf der Leiche liegen. Obwohl es erst am Morgen zu schneien angefangen hat. In der Nacht ist sternenklarer Himmel gewesen. Ich bin noch mit dem Hund hinausgegangen nach dem Acht-Uhr-Film, und ist sternenklar gewesen. Und wenn es bei uns sternenklar ist, Ende Dezember, hat es sieben Grad mindestens in der Nacht», sagt der Lift Lois.

«Minus», sagt der Lift Lois und schaut seine Zuhörer so lange an, bis sie ein bißchen nervös werden. Aber kein Grund, daß du nervös wirst. Es ist nur eine von den Pausen, die sie beim Heimattheater immer einüben. Und bevor ihm jemand wie ein schlechter Souffleur in die Rede fährt, sagt der Lift Lois:

«Ich renne vor Schreck so zum Not-Off, daß es mich fast hinhaut. Obwohl es eh egal war, habe ich gleich gesehen. Aber ich renne hinüber und rutsche auf dem frischgefallenen Schnee aus. Über der Eisplatte, die dort den ganzen Winter nicht weggeht. Da muß die Schlange um die Kurve beim Anstellen, und es geht leicht bergauf, da polieren sie es immer mit ihren scharfen Kanten her, daß das ganze Jahr eine Eisplatte ist. Normal weiß ich es ja, weiß ich eine jede Eisplatte am Lift, und es hat mich schon Jahre nicht mehr hingeschmissen. Ha, da fallen sie immer kreuz und quer, die Holländerinnen, weil du die Eisplatte ja nicht siehst, wenn der Neuschnee darauf liegt. Aber ich weiß es natürlich. Aber jetzt bin ich so erschrocken, daß ich es vergessen habe. Hätte blöd ausgehen können, aber ich habe gerade noch die Not-Off-Säule erwischt und mich direkt am roten Not-Off-Schalter aufgefangen. Dann ist er gestanden, der Lift», sagt der Lift Lois.

«Und ich bin auch noch gestanden. Ich gehe zurück zu dem Sessel mit der Leiche, ein bißchen zittrig in den Knien von dem Schreck, daß es mich fast hingelegt hätte. Aber noch bevor ich dazu komme, den Schnee von der Leiche zu klopfen, klingelt das Richttelefon in der Hütte. Ich weiß nicht, soll ich jetzt die Leiche abklopfen, oder soll ich zum Richttelefon hineingehen. Aber das Telefon hört nicht auf, und weil es eh egal ist, gehe ich schnell hinein.»

Ein bißchen hat es der Liftsteher vielleicht übertrieben mit dem Pausenmachen, weil an der Stelle hat er das Bierglas angesetzt und einen abnormal langen Zug gemacht.

«Auf der Bergstation von meinem Lift ist inzwischen der Wörgötter angekommen. Auch schon ein alter Fuchs», lächelt der Lift Lois.

«Aber jetzt ruft er ganz aufgeregt und außer sich geraten herunter, daß bei ihm oben gerade auf einem Liftsessel eine Leiche angekommen ist. Und in dem Moment, wo sie oben war, ist der Lift stehengeblieben.»

2

Von Amerika aus betrachtet, ist Zell ein winziger Punkt. Aber vom Pinzgau aus gesehen: vierzig Hotels, neun Schulen, dreißig Dreitausender, achtundfünfzig Lifte, ein See, ein Detektiv.

Der Detektiv gehört aber eigentlich nicht zu Zell. Der ist natürlich nur wegen der Liftgeschichte dagewesen. Die beiden Amerikaner sind Ende Dezember am Sessellift in Zell erfroren. Und Anfang September ist der Detektiv immer noch dagewesen. Jetzt hat er langsam das Gefühl bekommen, daß er hier nicht mehr wegkommt.

Wie wenn man anwächst, so ein Gefühl. Oder wie wenn du dich verirrst in einem Labyrinth, oder du heiratest und hast Kinder. Da ist der Detektiv, Brenner hat er geheißen, schon ein paarmal in der Nacht aus dem Schlaf aufgeschreckt. Weil er geträumt hat, daß er Zell so lange nicht mehr verlassen darf, bis er den aussichtslosen Fall der beiden Amerikaner gelöst hat.

Dann hat er ihn aber doch noch gelöst, obwohl es allen aussichtslos vorgekommen ist. Es war ja jetzt schon ein Dreivierteljahr nach der Tat, muß man sich einmal vorstellen. Im Dezember die Leichen, und jetzt schon die nächste Wintersaison vor der Tür. Die Polizei hat es ja schon Ende Jänner aufgegeben gehabt.

Da ist der Brenner noch dabeigewesen bei der Polizei. Ende Dezember sind sie aufgetaucht aus der Stadt, haben alles durcheinandergebracht, und Ende Jänner sind sie wieder verschwunden. Nichts und aussichtslos. Nur die *Pinzgauer Post* hat noch eine Zeitlang darüber geschrieben. Bis Mitte Februar vielleicht. Aber dann aus und vergessen.

Und Anfang März taucht der Brenner auf einmal wieder

auf. Aber nicht als Polizist, sondern als Privatdetektiv. Es war nämlich eine Versicherungsgeschichte. Die Toten sind ja die amerikanischen Schwiegereltern vom Vergolder Antretter gewesen. Dazu mußt du wissen, daß sie steinreich gewesen sind. Beide über achtzig und steinreich. Ist ja schon der Vergolder selber steinreich, bestimmt der reichste Mann in Zell, weit vor dem Eder, weit vor dem Bürgermeister und meilenweit vor dem Fürstauer. Aber gegen seine Schwiegereltern ist der immer noch ein armer Schlucker gewesen.

Natürlich haben sich die Zeller darüber gewundert, daß der zuerst als Polizist verschwindet, also der Brenner, und dann taucht er drei Wochen später als Privatdetektiv wieder auf. Dann hat sich herausgestellt, daß es eine Versicherungsgeschichte war, von der amerikanischen Versicherung aus, weil es da ja um viel, viel Geld gegangen ist. Ja, was glaubst du! Die haben aber nicht ihren eigenen Detektiv aus Amerika herübergeschickt, weil erstens Sprachprobleme, und zweitens ist es ja viel einfacher. Und billiger und effizienter und überhaupt, wenn sie ein hiesiges Detektivbüro beauftragen. Die haben dann einen Vertrag mit einem Wiener Detektivbüro gemacht, Detektivbüro Meierling hat das geheißen.

Jetzt hat es sich zufällig ergeben, daß der Polizist Simon Brenner, Kriminalinspektor oder welchen Rang der gehabt hat, bei der Polizei gekündigt hat. Jetzt muß man wissen, daß der 19 Jahre bei der Kripo gewesen ist, weil mit 25 hat er angefangen, und jetzt ist er 44 gewesen. Aber er hat es nie richtig weit gebracht bei der Kripo. Das war aber nicht der eigentliche Grund für seine Kündigung, weil der nie besonders ehrgeizig gewesen ist. Mehr so ein ruhigerer Typ, eigentlich ein netter Mensch, muß ich ehrlich sagen.

Jetzt hat der aber vor drei Jahren einen neuen Chef gekriegt, den Nemec, der ja auch im Jänner hier in Zell aufgekreuzt ist. Und den hätte ich auch nicht unbedingt als Chef haben müssen. Ich persönlich habe überhaupt nichts gegen die Wiener, sind auch nette darunter, und überall gibt es solche und solche. Aber der ist so ein richtiger typischer Wiener gewesen. Jedenfalls haben die zwei überhaupt nicht miteinander gekonnt. Der Nemec war jung und ehrgeizig, und seine Abteilung hat unbedingt die beste sein müssen. Und der Brenner, wie soll ich sagen, nicht daß er ein schlechter Polizist gewesen wäre, bestimmt nicht. Aber mehr ruhiger, gemütlicher, und der Nemec hat ihn von Anfang an nicht haben wollen.

Da ist es vom ersten Tag an mit Bemerkungen losgegangen, das ist jetzt drei Jahre her, und hier in Zell, wie den ganzen Jänner nichts herausgekommen ist, hat der Nemec wieder versucht, dem Brenner die Schuld hinzuschieben. Dann hat es sich der Brenner überlegt und hat seinen Job hingeschmissen.

Wenn du heute 44 bist und seit 19 Jahren bei der Polizei, dann überlegst du dir so was, und da muß ich ehrlich sagen, Hut ab, weil der hat in dem Moment überhaupt keine Aussicht auf was anderes gehabt.

Dann ruft ihn aber ein paar Tage später der Meierling an, also der Chef von dem Detektivbüro Meierling. Für die ist der Brenner natürlich ideal gewesen, weil er den Fall gekannt hat. Andererseits ist es ohnehin nicht oberstes Gebot gewesen, sagen wir, daß der Brenner jetzt den Fall unbedingt lösen muß. Weil es ist ja in erster Linie eine Versicherungssache gewesen.

Soviel ich weiß, war es mehr quasi aus formellen Gründen, also daß jemand anwesend ist, bis die Versicherungsangelegenheiten abgeschlossen sind. Und das kann Jahre dauern. Damit die Versicherung später sagen kann, schaut her, wir haben alles getan, uns kann keiner was vorwerfen, wir haben sogar noch unseren eigenen Mann hingeschickt, wie die Polizei den Fall schon längst aufgegeben hat.

Daß der den Fall dann wirklich löst, das hat ja zu dem Zeitpunkt überhaupt kein Mensch wissen können.

Und heute muß ich wirklich sagen, Hut ab vor dem Brenner, weil einem anderen wäre das nicht so leicht gelungen. So einer wie der Nemec ist viel schneller mit dem Kopf, und bei einem anderen Fall ist der vielleicht wieder der Bessere. Aber wie es hier gewesen ist. Die Leichen im Lift Ausländer. Kein Zeuge, keine Spur, kein Motiv, kein gar nichts! Da ist der Brenner wieder der Richtige gewesen.

Wenn man den so gesehen hat in Zell, wäre man nicht leicht darauf gekommen, daß der ein Privatdetektiv war. Obwohl – der war kein Geheimdetektiv. Hat es jedem gesagt, der es wissen wollte, daß er wegen der Liftgeschichte da ist. Aber wie soll ich sagen: Man hat ihm den Detektiv nicht angesehen.

Das Komische ist, er hat eigentlich genau so ausgesehen, wie man sich vielleicht einen Polizisten oder einen Detektiv vorstellt. So ein untersetzter Typ, wo die Schultern fast breiter sind als die Beine lang. Nicht groß und nicht klein und einen richtigen Kantschädel mit zwei senkrechten Falten in den Wangen. Und so eine rote, narbige Haut wie der Fußballspieler, wie hat der jetzt schnell geheißen, wo es zwei Brüder gegeben hat.

Aber ich glaube nicht, daß ihm leicht einer den Detektiv oder den Polizisten angesehen hat. Eine Rolle haben da sicher seine wasserblauen Augen gespielt. Die sind immer nervös herumgewandert, und im nachhinein kann man leicht sagen, das war, weil er immer alles ganz genau beobachtet hat.

Aber wenn man ihn so gesehen hat, hat er eher einen ängstlichen Eindruck gemacht. Einmal hat man ihn da und einmal dort gesehen, am Fußballplatz oder im *Café Feinschmeck* oder beim *Hirschen*. Oder er steht einfach auf dem Kirchplatz herum oder geht am See unten ein bißchen spazieren. Und weil er so ein rotes Gesicht hat, sieht man schon von weitem, wie seine blauen Augen darin ängstlich herumwandern. Das war es vielleicht, warum man nicht richtig

Respekt vor ihm gehabt hat. Menschlich schon Respekt, aber nicht, sagen wir: wie vor dem Nemec.

Und das war es auch, wieso der Nemec ihn nicht gemocht hat, diese Ausstrahlung, daß er nicht richtig dazugehört. Der hat sich darüber in aller Öffentlichkeit lustig gemacht:

«Schaun's nicht so mit Ihren Tschechenaugen, Brenner!»

Gleich ein paar Tage nachdem der Nemec die Abteilung übernommen hat, war das. Und noch dazu in Anwesenheit von Brenners Kollegen Tunzinger und Schmeller, der ist dann ein halbes Jahr später bei dem Banküberfall in, in, in, wo war das jetzt, erschossen worden. Der Brenner war sich in dem Moment überhaupt nicht bewußt, daß er irgendwie sonderbar geschaut hat, und er hat keine Ahnung gehabt, was der Nemec mit den Tschechenaugen meint.

Zuerst hat er den Verdacht gehabt, der Nemec hat womöglich Komplexe, weil er einen tschechischen Namen hat. Vielleicht macht er deshalb Witze über Tschechenaugen. Weil der Brenner hat schon eine Reihe von psychologischen Schulungen bei der Kripo gemacht, vor allem in den ersten Jahren.

Dazu muß man wissen, daß der Nemec aus Wien gekommen ist, der Brenner aber aus Puntigam, also wo das Bier herkommt, Puntigamer, also aus der Steiermark, in der Nähe von Graz. Jetzt hat der Brenner erst ein oder zwei Jahre später herausgefunden, daß es in Wien so eine Vorstellung gibt, oder ist es vielleicht auch nur blödes Gerede, daß alle Tschechen wasserblaue Augen haben.

Aber was rede ich von den Tschechen? Die Toten sind ja Amerikaner gewesen. Eine Fabrik in Detroit hat denen gehört. Und ihrem Schwiegersohn, dem Vergolder Antretter, hat der Sessellift gehört, auf dem man sie dann gefunden hat. Das hat die Polizei natürlich schon am ersten Tag herausgefunden. Aber viel mehr ist dann nicht mehr dazugekommen. Und jetzt geht der Brenner her und kriegt ein Dreivierteljahr später heraus, wer es gewesen ist!

Jetzt muß man wissen, was das für ein Mensch gewesen ist. Wie soll ich sagen, nicht leicht zu beschreiben. Zum Beispiel hat es ihn gestört, wenn ihn einer, mit dem er per du ist, mit dem Nachnamen anredet. Aber bei der Polizei ist es eben so, daß sich die Leute mit dem Nachnamen anreden.

«Schau nicht so mit deinen Tschechenaugen, Brenner!»

Das hat er sich natürlich von den Kollegen dann öfter anhören müssen, weil der Schmeller und der Tunzinger es natürlich weitererzählt haben. Und da hat es gar nichts genützt, daß sie den Schmeller ein halbes Jahr später erschossen haben, weil die anderen Kollegen, die nicht dabei waren, haben es inzwischen längst aufgeschnappt gehabt und auch gesagt.

Aber richtig Kopfweh hat ihm das nie bereitet. Weder das mit den Tschechenaugen noch das mit dem Namen. So richtig Kopfweh hat dem Brenner überhaupt nur eine Sache bereitet, und das ist sein eigener Kopf gewesen.

Dazu mußt du wissen, an dem Tag, wo er bei der Polizei aufgehört hat, hat er aus einem gewissen Dings heraus auch mit dem Rauchen aufgehört. Und genau seit der Zeit hat er mindestens zweimal im Monat einen Migräneanfall, daß er kaum mehr aus seinen Tschechenaugen herausschauen kann.

Jetzt hat er natürlich wieder nicht gewußt, kommt es vom Rauchenaufhören, praktisch Entzug, weil der hat 40 am Tag geraucht. Oder hat es mit der beruflichen Veränderung zu tun, daß er von den Sorgen Kopfweh kriegt, öfter als früher. Oder, dritte Möglichkeit, ist es das Klima in Zell, das er nicht verträgt, besonders jetzt, diese unnatürliche Hitze im September.

Jedenfalls. Sein Kopf ist der Grund, wieso der Brenner jetzt in der Zeller Stadtapotheke auftaucht und von der Magisterin Ewalt eine Packung Migradon verlangt.

«Für wen sind die Tabletten, Herr Brenner?»

«Für mich.»

«Sind Sie deshalb schon einmal beim Arzt gewesen?»

Jetzt der Brenner so schon Kopfweh, daß er nicht weiß, wo

hinschauen, kommt ihm auch die junge Magisterin noch umständlich.

«Jaja», murmelt er und ist schon wieder draußen bei der Tür, bevor sich die Magisterin wichtig machen kann.

Du mußt wissen, die Frauen haben nicht «Tschechenaugen» gedacht, sondern «Kinderaugen». Und dazu zwei zentimetertiefe Wangenfalten im Vierkantschädel, das hat den meisten natürlich gefallen.

Er hat es aber jetzt eilig gehabt, daß er in sein Hotelzimmer kommt. Erstens Tablette nehmen, zweitens den Bericht für diese Woche tippen. Weil jede Woche hat er einen Bericht an das Detektivbüro Meierling schicken müssen. Und diese Woche hat er es noch nicht getan. Und er hat das Gefühl gehabt, vorher wird er das Kopfweh nicht los, egal ob Tablette oder nicht. Es ist jetzt drei Uhr gewesen, das Postamt sperrt um halb sechs zu, und der Brenner will, daß sein Bericht noch heute mit der Post weggeht. Also muß er sich beeilen, nur mehr zwei Stunden Zeit für den ganzen Bericht.

Natürlich hat er sich da nicht gefreut, daß er im finsteren Vorhaus vom *Hirschenwirt* ein bekanntes Gesicht sieht. Und daß ihn im selben Moment eine vertraute Stimme anspricht. Beide haben zu einem jungen Mann mit einer giftgrünen Krawatte gehört, auf der immer wieder in verschiedener Größe das Wort «okay» draufgestanden ist.

«Habe die Ehre, Herr Inspektor!» sagt der junge Mann und deutet ein blödes Salutieren an.

«Mandl», brummt der Brenner. Er hat gleich gemerkt, wie der Grant über den gelackten Lokalreporter mit dem aristokratischen Getue in ihm hochsteigt.

«Kaiser haben wir aber keinen mehr, Mandl.»

«Liftkaiser, Dorfkaiser, Immobilienkaiser!» kontert der Mandl so schnell, daß dabei sein Kopf einen leichten Zucker macht. Dadurch hat sich eine Haarsträhne gelöst, weil mit Gel niedergeklebt, und jetzt ist sie aufgestanden und hat ganz unnatürlich gezittert.

Früher, wie er noch bei der Kripo war, hat der Brenner ihn manchmal geärgert und statt Mandl «Madl» zu ihm gesagt. Aber jetzt hat er mit dem Reporter von der *Pinzgauer Post* schon lange nichts mehr zu tun gehabt. Und heute überhaupt keine Lust, weil erstens Kopfweh und zweitens den Bericht endlich abschicken.

Obwohl das mit dem Bericht überhaupt nicht eilig gewesen ist. Ganz im Gegenteil. Der Meierling, also der Chef von dem Detektivbüro (der heißt ja nicht Meierling, sondern Brugger), hat den Brenner schon mehrmals ermahnt, daß er nicht so elendig lange Berichte schreiben soll. Und letzte Woche hat er ihn sogar dazu vergattert, wenn er sich schon nicht kurz fassen kann, soll er gefälligst eine zehnzeilige Zusammenfassung voranstellen.

«Kein Mensch liest das, was Sie da schreiben!» hat der Brenner sich von ihm unter die Nase reiben lassen müssen. Jetzt mußt du aber dem Brenner seine Devise kennen. Weil seine Devise ist: alles aufschreiben, Wichtiges und Unwichtiges. Und im nachhinein muß man sagen, er hat recht gehabt.

Aber ausgerechnet jetzt, wo er es schon kommen gespürt hat, daß sich die Sachen langsam zusammenfügen, stellt sich ihm der Mandl in den Weg.

Jetzt muß man aber ganz ehrlich sagen, daß das nur die halbe Wahrheit ist, wieso der Detektiv Brenner in dem Moment gar so einen Grant gehabt hat. Horch zu. Es war nämlich so. Der Mandl fragt:

«Sind Sie im Dienst, Herr Inspektor?» Obwohl ja der Brenner schon über ein halbes Jahr nicht mehr bei der Polizei ist. Und der Mandl weiß das ganz genau. Aber der Brenner läßt sich überhaupt nichts anmerken und sagt:

«Ich bin immer im Dienst, Mandl.»

«Und wann ist Schnaps?»

«Schnaps ist erst, wenn ich ihn habe.»

«Also ein einzelner männlicher Täter.»

Der Mandl hat wirklich so geredet. Ich muß ehrlich sagen,

der war gar nicht so ungut, wie alle immer getan haben. Er war eben noch jung und hat es bei der Zeitung zu was bringen wollen. Der Brenner hat nur den Kopf geschüttelt über soviel nutzlosen Eifer:

«Du mußt noch viel lernen, Mandl.»

Jetzt hat ihn der Mandl aber soweit gehabt. Er hat gleich zwei Achtel Weiß bei der Kellnerin bestellt. Der *Hirschenwirt* ist eines von diesen alten Gasthäusern mit einer riesigen Schank im Vorhaus, und vor der sind die beiden Männer gestanden. Die Kellnerin hat ihnen zwei Achtel hingestellt, und der Mandl hat einen violetten Fünfziger aus seiner giftgrünen Hemdtasche gezogen, daß dem Brenner fast schlecht geworden ist.

«Wollt ihr euren letzten Leser auch noch verlieren?» sagt jetzt der Detektiv.

«Haben wir einen Leser?» fragt der Mandl und grinst wie für die Zahnarztreklame, weil der hat zwei ganz neue Jacketkronen im Mund gehabt seit seinem Bericht über das Geheimbordell in der Brucker Bundesstraße.

«Mit der alten Geschichte werdet ihr jedenfalls keinen hinterm Ofen hervorlocken.»

«Keinen Hund, oder? Alte Geschichte schreiben, Zeitung zusammenrollen, weit wegwerfen. Hund apportiert Zeitung. Verläßt also Ofenplatz. Polizei nutzt Gelegenheit. Legt sich auf Ofenplatz, oder?»

«Zu was soll das sein, daß du immer Polizei zu mir sagst?»

«Wozu, Inspektor! Es heißt: wozu. Weil zu was haben wir eine Grammatik?»

Wie soll ich sagen. Der Mandl hat keinem was in den Weg gelegt. Der hat halt geglaubt, daß er die ganze Welt niederreißen muß vor lauter wichtig. Der Brenner hat nur gesagt:

«Ich glaub ja, du bist der Täter. Pervers, wie du bist.»

«Also ein Einzeltäter, gutaussehend, pervers? Das bringt mich auf was. Wo ist eigentlich die Amerikanerin?»

«In Amerika.»

Das ist aber jetzt eine andere Amerikanerin gewesen, von der die beiden da geredet haben. Nicht die alte Millionärin aus dem Lift. Und das ist es, was ich die ganze Zeit sagen will, warum der Brenner gar so grantig geworden ist.

Du mußt wissen, daß ein paar Wochen lang eine Angestellte von der amerikanischen Versicherung in Zell gewesen ist. Die hat natürlich in erster Linie mit dem Brenner zu tun gehabt, weil der ja praktisch auch bei der Versicherung angestellt ist. Das ist so eine junge blonde Amerikanerin gewesen, wie man sie bei uns fast nur aus den Filmen kennt. Oder wenn du dir eine Barbie-Puppe vorstellst. Betty hat sie geheißen. Und sie ist fast den ganzen Sommer in Zell gewesen.

Jetzt hat es natürlich Gerede gegeben. Es ist ja nicht nur der Mandl hinter ihr hergewesen, sondern mehr oder weniger alle Zeller Burschen, und ein paar alte Deppen sind bei so was natürlich auch immer dabei. Aber das ist nicht das Gerede, das ich meine. Weil von den Zellern hat keiner Erfolg bei der Amerikanerin gehabt. Also hat man eben andere Gerüchte erfunden. Daß sie eine amerikanische Kriminalpolizistin ist. Extra entsandt vom FBI. Manche haben auch CIA gesagt und ein paar sogar Scotland Yard, aber da hat wieder der Delikatessenhändler Fürstauer gewußt, daß es das nur in Schottland gibt.

Aber die Betty ist nur von der Versicherung gewesen. Die hat so eine Art Lokalaugenschein für die Versicherung gemacht, und vom Brenner hat sie eben alles über den ganzen Fall wissen wollen. Der hat ihr aber nicht viel bieten können. Das heißt, nur was den Fall betrifft, hat er ihr nicht viel geboten.

Sonst möchte ich dazu nur soviel sagen. Sie hat ihr Zimmer auch beim *Hirschenwirt* gehabt. Und sie ist, seit sie ein kleines Mädchen war, ein Girl eben in Amerika drüben, ist sie in den Robert Redford verliebt gewesen. Jetzt schaut der Brenner dem Robert Redford überhaupt nicht ähnlich, aber irgend etwas an ihm muß sie an den Robert Redford erinnert haben.

Das war im August. Und jetzt ist schon bald die erste Septemberwoche vorbei, und der Mandl steht einfach da im *Hirschenwirt*-Vorhaus und fragt:

«Wo ist eigentlich die Amerikanerin?»

Was ich damit sagen will. Ich glaube, es war eigentlich deshalb, daß dem Brenner von dem kurzen Gespräch so die Laune vergangen ist. Und wie er merkt, wie enttäuscht und blaß der Mandl plötzlich aussieht, setzt der Brenner noch einmal nach und sagt:

«Die Amerikanerin, die ist in Amerika, die Amerikanerin.»

Doch dann hat er bemerkt, daß es ihm selber mehr weh tut als dem Lokalreporter Mandl. Aber er hat sich nichts anmerken lassen. Hat sich einfach umgedreht und den Mandl mitsamt den zwei Weingläsern stehenlassen. Dann ist er hinaufgegangen und hat endlich seinen Bericht schreiben wollen. Abschicken kann er ihn ja morgen immer noch.

3

Wenn heute einer hergeht und etwas unbedingt erzwingen will, dann geht es erst recht nicht. Vielleicht war das der Grund, daß der Brenner immer noch kein einziges Wort von seinem Bericht für das Detektivbüro Meierling geschrieben hat. Obwohl es schon eine gute Stunde hergewesen ist, seit er den Mandl stehengelassen hat.

Es ist der 6. September gewesen, aber immer noch so warm, daß er mit nacktem Oberkörper in seinem Zimmer sitzt. In den schattseitigen Zimmern ist es freilich um diese Jahreszeit schon ganz eine andere Geschichte gewesen. Aber Brenners Zimmer war sonnseitig, und das heizt sich untertags natürlich furchtbar auf, ja, was glaubst du.

Seit über einer Stunde sitzt er schon an seinem Zimmertischchen, wie er auf einmal bemerkt, daß er noch keine Zeile geschrieben hat. Weil er ist mit seinen Gedanken ja völlig woanders gewesen. Das war seine alte Krankheit, daß er sich nicht konzentrieren kann. Äußerlich hat der Brenner ja einen furchtbar ruhigen Eindruck gemacht. Da gibt es so einen Film, wo der Mönch sagt, also so ein indischer, ein Buddhist, der sagt: Wenn ich gehe, dann gehe ich, und wenn ich stehe, dann stehe ich. Und so einen Eindruck hat man vom Brenner gehabt, wenn man ihn wo gehen oder stehen gesehen hat oder sitzen von mir aus. Rein äußerlich.

Und da hat man ihn schon gut kennen müssen, daß man gewußt hat, wie nervös der die ganze Zeit gewesen ist. Und konzentrieren, sagen wir, auf das Wesentliche, das ist überhaupt nicht dem seine Stärke gewesen. Der Nemec, der hat das schon am ersten Tag erkannt und dem Brenner unter die Nase gerieben:

«Konzentrieren geht über studieren, Brenner!»

Weil das ist dem Nemec seine Antwort gewesen, wie der Brenner bei ihm angesucht hat, ob er an einer Schulung teilnehmen darf. Vielleicht ist es auch nicht gescheit gewesen, daß man gleich am ersten Tag, wo man einen neuen Chef hat, wegen einer Schulung ansucht, weil immerhin zwei Tage Dienstabwesenheit. Daran hat der Brenner jetzt denken müssen, wie er bemerkt hat, daß er noch kein einziges Wort geschrieben hat, obwohl er schon seit einer Stunde den Tisch anstarrt.

So ein kleiner filigraner Tisch, also, wenn du den nur angeschaut hast, hat er schon gezittert. Und normalerweise kann man sich nicht vorstellen, daß man den für mehr verwendet als zum Anschauen. Aber dem Brenner, dem ist so was egal gewesen. Der hat seit einem halben Jahr da Woche für Woche seinen Bericht getippt.

Dabei ist dem sein Großvater in Puntigam Schreiner gewesen. Bei dem hätte so etwas nicht Tisch geheißen. Der Brenner hat noch zwei Kästen gehabt, die sein Großvater gebaut hat. Schöne, schlanke Nußholzkästchen, die sind schon in der Wohnung von seinen Eltern gestanden, wie er auf die Welt gekommen ist.

Und seit dem Tod seiner Eltern hat der Brenner sie eben in seiner Wohnung. Weil Geschwister hat er keine, und in seine Buwog-Wohnung haben sie gut hineingepaßt. Also Bundesangestelltenwohnung, da wohnen nur Bundesangestellte, günstige Miete, ja, was glaubst du. Und der Brenner hat sich jetzt natürlich gefürchtet, daß er hinausmuß, weil er bei der Polizei gekündigt hat.

Aber dann ist etwas passiert, das hat ihn überrascht. Weil bisher hat er noch überhaupt nichts gehört, keine Benachrichtigung, nichts. Und statt daß er endlich seinen Bericht schreibt, denkt er sich jetzt: Wahrscheinlich hängt das mit seinem Schulkollegen Schwaighofer zusammen. Das ist nämlich so gewesen:

Wie der Brenner vor fünf Jahren um so eine geförderte

Wohnung angesucht hat, hat er eine Überraschung erlebt. Zuerst hat er ihn gar nicht erkannt, weil Glatze und zwanzig Jahre nicht gesehen, aber sein Schulkollege Schwaighofer hat ihn sofort erkannt. Der war der Büroleiter dort und für die Vergabe der Wohnungen zuständig. Zuerst ist es dem Brenner noch unangenehm gewesen, also verlegen, weil was redest du mit einem Schulkollegen, den du vor zwanzig Jahren das letzte Mal gesehen hast. Und während der Schulzeit haben die zwei auch nicht viel miteinander geredet. Der Brenner ist ja immer ein verschlossener Mensch gewesen, darf man nicht vergessen, ich möchte nicht sagen verstockt, aber immer verschlossen. Und der Schwaighofer auch nie ein besonderer Dings.

Jetzt ist dem Brenner das aber nicht lange unangenehm gewesen, weil als Junggeselle hätte der eine Wartezeit gehabt, die haben da Wartezeiten, frage nicht, Jahre! Er hat dann schon nach drei Monaten einziehen können, und das hat ihm natürlich sein Schulkollege Schwaighofer gerichtet. So ist es einmal bei uns, überall das gleiche.

Und jetzt, weil er schon seit einem halben Jahr nichts von der Buwog-Verwaltung, sprich Schwaighofer, gehört hat, fängt der Brenner langsam an, daß er sich Hoffnung macht. Daß womöglich sein Schulkollege Schwaighofer dahintersteckt und es übersieht, also absichtlich, Computer oder so, daß der Brenner eigentlich hinausmuß.

Das gehört jetzt eigentlich nicht hierher. Aber dem Brenner ist es auch nicht anders gegangen. Der sitzt in seinem heißen Zimmer und soll über seine Arbeit nachdenken, aber statt dessen denkt er über seine Wohnung nach. Und jetzt paß auf, was ich dir sage. Zufall ist das keiner gewesen, weil Zufall in dem Sinn gibt es keinen, das ist erwiesen.

Jetzt hat der Brenner statt an seinen Bericht daran denken müssen, wie er seine Kollegin Anni Bichler einmal mit in seine Wohnung genommen hat. Die Anni, das war in seiner Abteilung eine von den zwei Sekretärinnen, aber die hübschere. Das war jetzt gute fünf Jahre her, daß er die Anni praktisch mit heimgenommen hat, da ist er erst ein paar Wochen in seine Buwog-Wohnung eingezogen gewesen. Am nächsten Morgen beim Frühstück sagt die Anni:

«Ehrlich gesagt –»

Jetzt muß man wissen, daß der Brenner eines nicht ausstehen kann. Wenn jemand einen Satz mit «ehrlich gesagt» anfängt. Er hat sich irgendwie eingeredet, daß solche Sätze, die so anfangen, also mit «ehrlich gesagt», daß die irgendwie nie was Gutes bringen.

Jetzt hat er aber eine Überraschung erlebt, weil die Anni Bichler hat dann ganz etwas anderes gesagt. Weil erwartet hätte er, daß sich die Kollegin Bichler vielleicht beschwert, daß er ihren Zustand ausgenutzt hat, quasi der Volltrunkenheit.

Die Sache war nämlich die, daß er sich selbst nicht mehr in allen Einzelheiten an diese Nacht erinnert hat. Sicher war nur so viel, daß die Frau, die sich da zum Frühstück Marillenmarmelade auf ihr Butterbrot gestrichen hat, seine Kollegin aus dem Büro, die Sekretärin Bichler gewesen ist. Und daß er gestern bei der Geburtstagsfeier ihres gemeinsamen Kollegen Schmeller, der dann zweieinhalb Jahre später bei einem Bankraub erschossen worden ist, mit ihr Bruderschaft getrunken hat.

Aber sonst hat er nicht mehr viel gewußt, vor allem nicht, ob er mit der Anni eigentlich geschlafen hat. Aber wahrscheinlich hat sie es noch gewußt, und wahrscheinlich hat sie jetzt deshalb den Mund aufgemacht, um sich über irgendwas zu beschweren, an das der Brenner sich womöglich beim besten Willen nicht einmal mehr erinnert hat.

«Ehrlich gesagt, deine Wohnung hat überhaupt keine Atmosphäre.»

Da ist der Brenner aber momentan erleichtert gewesen. Aber das war nur für den Moment eine Erleichterung. Weil nachher ist ihm aufgefallen, daß das ja auch was heißen kann, wenn sich eine Frau mit deiner Einrichtung beschäftigt. Also auf gut deutsch: ernste Absichten. Aber keine Sorge, weil die Anni ganz super, die hat dann im Büro so getan, als ob nie was gewesen wäre.

Und vielleicht ist ja auch wirklich nichts gewesen, oder womöglich ist was gewesen, aber beide haben sich nicht daran erinnert, aber egal, mich hat es nicht zu interessieren, weil es hat nichts damit zu tun, wer den Ted Parson und seine Frau, die hat Suzanne geheißen, wer denn diese alten Leute auf den Sessellift gesetzt hat.

Aber dann, zwei Wochen nach der Geschichte mit der Bichler Anni, ist der Polizeiball gewesen. Und da hat der Brenner die Tochter vom Polizeimusikdirektor mit in seine neue Buwog-Wohnung genommen. Und da ist es ihm dann langsam spanisch, also, wie soll ich sagen: gedämmert. Weil die Tochter vom Polizeimusikdirektor hat noch nicht einmal ihre Schuhe ausgezogen, da sagt sie schon:

«Ich weiß nicht, deine Wohnung hat irgendwie keine Atmosphäre.»

Gleich am nächsten Wochenende hat er dann die zwei Nußholzschränke in seine Wohnung transportieren lassen. Und transportiere einmal unzerlegbare Kästen in den dritten Stock eines Buwog-Hauses hinauf. Sie haben sie dann doch mit Ach und Krach hinaufgekriegt, aber ob du es glaubst oder nicht: trotzdem umsonst gewesen.

Weil wie er am nächsten oder übernächsten Wochenende Besuch hat – wählerisch in dem Sinn ist der Brenner auch nicht immer gewesen, und das war eine ziemliche – aber bitte, mir kann es ja egal sein. Kurz und gut, sie sagt jedenfalls:

«Deine Wohnung hat irgendwie überhaupt keine Atmosphäre.»

Jetzt, warum erzähle ich das alles. Der Brenner sitzt in seinem Hotelzimmer im *Hirschenwirt* und wartet darauf, daß seine Migränetablette endlich wirkt. Und statt daß er seinen

Bericht schreibt, starrt er den furnierten Tisch an und denkt an die Nußholzschränke von seinem Großvater. Seine nervösen blauen Augen wandern jetzt überhaupt nicht nervös herum. Aber nicht, weil sie den Tisch fixieren, weil den Tisch fixieren sie ja in Wirklichkeit auch nicht. In Wirklichkeit schaut der ja durch den Tisch durch. Der Tisch und die ganze Hotelzimmer-Atmosphäre haben den Brenner überhaupt nicht gestört.

Es stört ihn überhaupt nur eines. Daß er sich nicht konzentrieren kann. Und das ist es ja auch gewesen, was der Nemec ihm immer vorgeworfen hat. Und der Brenner hat jetzt nichts Besseres gewußt, als daß er dem Nemec insgeheim recht gibt.

Dazu kann ich nur eines sagen. Es ist kein Zufall gewesen. Kein Mensch hätte sich bei dieser Sache konzentrieren können. Weil überhaupt nichts dagewesen ist, wo man sich einhalten kann. Worauf sollst du dich da konzentrieren, wenn nichts da ist. Und noch etwas ist kein Zufall gewesen. Daß ausgerechnet der Brenner, der praktisch auch sonst nicht so ein konzentrierter Typ gewesen ist, daß ausgerechnet der für so einen Fall wieder der Richtige gewesen ist.

Weil das ist quasi ein Glatteis gewesen, oder von mir aus ein Tiefschnee, oder vergleiche es meinetwegen mit was anderem. Da kommst du mit einer anderen Gangart besser vorwärts als wie zum Beispiel auf einer Asphaltstraße. Und da ist einer, der, sagen wir, auf der Asphaltstraße viel zu umständlich und langsam ist, der ist da womöglich wieder im Vorteil.

Und einer, der auf dem Asphalt eine gute Figur macht, sagen wir, wie der Nemec, der drauflosmarschiert, daß es eine Freude ist, der ist natürlich hier sofort auf die Nase gefallen, daß es eine Freude gewesen ist.

Die polizeilichen Ermittlungen, damals im Jänner, haben zu rein gar nichts geführt. Zuerst, Anfang Jänner, hat es geheißen, daß es zwei Spuren gibt, die sie noch geheimhalten müssen. Und Ende Jänner sind sie wieder abgezogen, und da ist von den Spuren keine Rede mehr gewesen.

«Kein Stein darf auf dem anderen bleiben», ist am Anfang dem Nemec sein Spruch gewesen. So ist es jedenfalls in der PP gestanden, in der *Pinzgauer Post*. Und da hat es auch noch so ausgesehen, mein Lieber, als ob der Nemec den Täter binnen Stunden in seinem Loch aufstöbert. Oder besser gesagt:

«Den oder die Täter oder die Täterin», weil so hat der Nemec immer jeden sofort korrigiert, der von einem Täter geredet hat. Hat einer nur sagen brauchen «der Täter», hat er sicher sein können, daß ihn der Nemec unterbricht:

«Der oder die Täter oder die Täterin.»

«Oder die Täterinnen!» hat der Brenner wieder den Nemec korrigiert. Und das neben dem Kollegen Tunzinger! Weil den Schmeller haben sie ja schon eineinhalb Jahre vorher bei diesem Bankraub in, in, in, also, der ist ja dort erschossen worden.

Jetzt möchte ich nicht sagen, daß der Nemec ein besonders prägnantes Gesicht hat. Obwohl er dünn ist, nur Haut und Knochen. Aber mehr so magengeschwürdünn. Nein, auch wieder nicht, mehr so wie ein Student, eigentlich hat der ein richtiges Milchgesicht. Über 40, das weiß ich, aber wenn du den auf der Straße siehst, kannst du ihn auch für 30 halten, ein Student mit einer Nickelbrille.

Und vielleicht ist es einem gerade wegen dem Milchgesicht so aufgefallen. Weil wenn der sich geärgert hat, ist ihm eine, ob du es glaubst oder nicht, fingerdicke blaue Ader auf der Stirn herausgekommen. Und je mehr er sich bemüht hat, sich den Ärger nicht anmerken zu lassen, um so dicker ist ihm die blaue Ader auf der Stirn angeschwollen. Daß man geglaubt hat, dem rutscht der ganze Ärger, den er hinunterschlucken möchte, direkt in die Stirnader hinauf.

Aber abgesehen von der blauen Ader hat es damals keine Reaktion auf Brenners Entgleisung gegeben, also daß der «die Täterinnen» gesagt hat. Das war ja schon Ende Jänner. Und da hat man es schon gewußt, den ganzen Mißerfolg.

Zuerst zwei Spuren, aber jetzt überhaupt keine Spur mehr. Und für die zwei Spuren sind die Polizisten von den Zellern sowieso nur ausgelacht worden.

Aber ich muß ehrlich sagen, was hätten sie anderes machen sollen. Der Vergolder ist der einzige Angehörige der Opfer gewesen, also haben sie bei ihm angefangen. Motiv hätte der schon eines gehabt, weil der erbt ein paar Millionen, und nicht daß du glaubst, Schilling. Weil Amerika, und da gilt der Dollar. Aber daß dem selber halb Zell gehört und daß der nicht so blöd ist, daß er seine Schwiegereltern in Zell auf seinem eigenen Schilift – wie soll ich sagen, Ende Jänner hat es die Polizei auch eingesehen.

Vielleicht, also wundern würde es mich nicht. Vielleicht hat es den Nemec gerade gereizt, daß der Vergolder einer von den Stadtoberen gewesen ist. Und da hätten sie gleich den Bürgermeister selbst oder den Pfarrer nach einem Alibi fragen können.

Ich glaube, der Nemec hat sich damals schon in der Zeitung gesehen, mutiger Aufdecker oder so und sein Bild dabei, kompromißlos und unbestechlich. Aber dem Vergolder haben sie nichts nachweisen können, und natürlich ist das eine Blamage ersten Ranges für den Nemec gewesen. Ende Jänner ist dann plötzlich keine Rede mehr von dem Vergolder Antretter gewesen.

Und von der «Heidnischen Kirche» rede ich gar nicht, weil das ist die zweite Spur gewesen, aber da ist erst recht nichts herausgekommen. Aber der Brenner hat jetzt doch an die «Heidnische Kirche» denken müssen, freilich aus einem anderen Grund. Weil der hat sich jetzt in seinem Hotelzimmer im *Hirschen* sein Hemd wieder angezogen und ist auf den Balkon hinausgegangen.

Drüben am See ist noch vor einer Woche Hochbetrieb gewesen, und jetzt nur noch ein paar einzelne Badegäste. Es war Anfang September, viel zu warm für die Jahreszeit, wie der Wetteransager immer behauptet. Aber die Schule fängt trotzdem an. Die Urlaubsgäste verschwinden über Nacht, nur mehr ein paar Pensionisten sind noch da.

Und der Brenner natürlich. Der ist auch immer noch dagewesen. Und sein Gefühl – darum ist es so gefährlich, wenn sich ein Detektiv auf sein Gefühl verläßt. Weil sein Gefühl, das ihm noch vor einer Stunde Hoffnung gemacht hat, hat ihn jetzt, wie er da auf seinem Balkon steht und über den See hinüberschaut, auf einmal völlig hoffnungslos gemacht.

Eines muß man sagen, eine großartige Sicht. Und die Berge so nahe, da glaubst du gar nicht, daß der See noch dazwischen liegt. Er hätte jetzt problemlos bis zum Stausee hinaufgesehen. Aber ein Waldvorsprung verdeckt die Sicht auf diese Gegend, die in den Wanderkarten noch von früher her «Heidnische Kirche» heißt.

Mit «Heidnische Kirche» sind die Drohbriefe unterschrieben gewesen, die in der Redaktion der *Pinzgauer Post* aufgetaucht sind. Und die Forderungen in diesen Briefen, also hör zu, entweder müssen das Irre oder Lausbuben geschrieben haben: Die Gemeinde Zell soll den ganzen Schitourismus, stell dir das einmal vor. Einstellen. Den ganzen Schitourismus. Abschaffen! Und wenn das nicht passiert, dann wird die Moosersperre in die Luft gesprengt. Genau so ist es drinnen gestanden in den Briefen. Unterschrift: Heidnische Kirche.

Jetzt darfst du nicht vergessen, daß über Zell, also eigentlich im Glocknermassiv, praktisch direkt über den Köpfen der Zeller, einer der größten Stauseen von ganz Europa ist. Das ist den Leuten ja gar nicht bewußt, wenn sie durch Zell gehen. Daß da über ihnen, praktisch wie ein Damokles, wenn die bricht, so eine Staumauer. Weil die Moosersperre, das ist eine von den drei Staumauern. Und die steht praktisch mitten in diesem Gebiet, das «Heidnische Kirche» heißt. Wo der Name herkommt, weiß man nicht.

Und dann gibt es noch die Drossensperre und die Limbergsperre. Es ist natürlich unmöglich, daß eine Mauer wirklich bricht. Aber sagen wir einmal so. Wenn die bricht, da brauchst du nicht glauben, daß ein einziger Zeller das überlebt.

Andererseits. Die Mauern stehen schon seit bald fünfzig Jahren da oben, weil der Stausee gleich nach dem Krieg eröffnet worden ist. «Symbol der Republik» ist in der Zeitung gestanden, das war 1951, wie sie ihn eröffnet haben. Jetzt kann man natürlich in sechs Jahren keinen Hochgebirgsstausee bauen, oder vielleicht könnte man es heute, aber damals nicht. Die Politiker haben natürlich kein Wort darüber verloren, daß er – aber ich möchte jetzt auch nicht wieder mit der Nazizeit anfangen.

Beim 25-Jahr-Jubiläum ist es dann in Mode gekommen, praktisch kritische Berichte. Und vor ein paar Jahren, das ist 1991 gewesen, da war das 40-Jahr-Jubiläum. Da hat man sogar ein paar von den ukrainischen Zwangsarbeitern eingeladen, weil von denen sind natürlich im Krieg Hunderte auf der Baustelle oben ums Leben gekommen. Fertig gebaut ist der Stausee dann von den Amerikanern worden.

Nach dem Krieg sind alle froh gewesen über den Strom und über den Aufschwung, und die Politiker haben «Symbol der Republik» zu dem Stausee gesagt. Da hat der Nemec wegen der «Heidnischen Kirche» vielleicht einen politischen Terrorismus oder so was Ähnliches vermutet, aber politisch sind die Leute da herinnen ja weniger.

Die Kripo ist nur auf die Idee gekommen wegen dem Schitourismus, also wegen der Forderung, daß man den abschaffen soll. Weil man die Leichen ausgerechnet im Schilift. Weil das ja umständlich ist. Praktisch eine letzte Warnung. Aber es hat keinen Begleitbrief gegeben, Anrufe auch nicht, und was soll das für eine Warnung sein?

Und dann hat sich auch noch herausgestellt, daß solche Drohungen so alt sind wie der Stausee selbst. Irgendwie muß der Stausee die Phantasie von den Leuten angeregt haben. Vielleicht doch eine Angst, unbewußt, ich weiß es nicht. Der Zeller Bürgermeister hat eine ganze Sammlung gehabt von diesen Briefen. Aber die Kripo hat es erst nach drei Wochen erfahren. Weil man hat natürlich geschaut, daß so was nicht an die Öffentlichkeit gelangt. Stell dir vor, die Touristen wären womöglich ausgeblieben wegen so einem Blödsinn.

Und der Bürgermeister hat immer gesagt: «Die zehn Meter dicke Mauer sprengen? Da ist es ja leichter, den Berg rundherum wegzusprengen.»

Aber ins Gemeindeprotokoll sind solche Sätze nie gekommen. Weil man hat eben geschaut, daß das nicht offiziell wird, also sagen wir: totschweigen. Und ist auch das beste gewesen. Weil der Stausee ist immer noch oben.

Das hat sich jetzt auch der Brenner wieder gedacht, wie er von seinem Balkon aus hinübergeschaut hat. Der Stausee ist noch oben, und sonst hat sich auch nichts geändert. Weil wenn er ehrlich war, dann hat er auch jetzt, ein halbes Jahr später, noch keine Spur gehabt. Und der Brenner ist jetzt gerade in dieser Stimmung gewesen, wo man einmal ehrlich zu sich selber ist.

Die Sonne ist langsam untergegangen, und der See hat gespiegelt, also das ist ein Naturschauspiel, daß du sagst: Gibt es nicht.

Und jetzt ist er sich mindestens so stumpfsinnig wie die Tochter des Polizeimusikdirektors vorgekommen, wie er im stillen zu sich selber gesagt hat:

«Ehrlich gesagt – die Heidnische Kirche ist es nicht gewesen, und der Vergolder Antretter ist es nicht gewesen, und sonst ist es auch keiner gewesen. Aber irgendeiner muß es ja gewesen sein.»

4

Nein, jetzt schau her. Zell ist nicht so klein, daß jeder jeden kennt. Aber jeder kennt den Taxifahrer Goggenberger Johnny. Der ist ein Original, das kannst du laut sagen. Weil der hat 120 Kilo und einen rosaroten Chevrolet, mit dem fährt er seit 20 Jahren Taxi in Zell. Was anderes hat der nie getan, weil so alt ist der Johnny noch gar nicht, wie er ausschaut. Aber wo der den Chevrolet herhat, würde mich interessieren.

Jetzt hat sich der Brenner am 7. September vom Johnny nach Kaprun fahren lassen. Das war mehr, sagen wir, nicht weil der Brenner unbedingt nach Kaprun muß. Aber die Taxifahrer, die hören natürlich oft viel: Und wenn er sich vom Johnny wo hinbringen läßt, da erfahre ich vielleicht was, hat sich der Brenner gedacht, aber da hat er sich geschnitten.

Weil der Johnny, der sagt nicht muh und nicht mäh, und wenn du mit ihm bis Schweden hinauffährst. Weil einmal hat sich ein Schwede beim Schifahren den Fuß gebrochen, und der hat sich vom Johnny heimchauffieren lassen, bis Schweden hinauf. Und da muß ich ehrlich sagen, Vergnügen kann das keines gewesen sein, weil der Johnny raucht Virginia, und den Gestank in dem seinem Chevrolet hältst du kaum von Zell bis Schüttdorf aus. Und natürlich, viel geredet wird er mit dem Schweden auch nicht haben, weil der Schwede hat nicht Deutsch gekonnt, und der Johnny, also schwedisch hab ich den auch noch nie was sagen gehört.

«Scheiß mich an!» sagt der Johnny jetzt, wie der Wetteransager im Radio meldet, daß es heute sogar noch heißer wird als gestern.

Sonst hat der Brenner nichts aus ihm herausgekriegt. Wenn

er betrunken ist, redet der Johnny ununterbrochen, so ist es immer mit den Stillen. Aber er ist selten betrunken, weil als Taxler könnte er sich das natürlich überhaupt nicht leisten.

Aber den Brenner hat etwas anderes viel mehr aufgeregt. Nicht der Virginiagestank, weil heute ist sein Kopfweh wie weggeblasen gewesen, und dann stört ihn so was nicht. Er hat ja selber geraucht bis vor sieben Monaten. Aber daß der Johnny auf der Landstraße nach Kaprun, also wo jeder normale Mensch einen Hunderter fährt, weil Schnellstraße, und da könntest du auch locker hundertfünfzig fahren, wenn es erlaubt wäre. Daß der Johnny da einen konstanten Fünfziger fährt!

Weil der Johnny, die Zeller wissen das natürlich, aber die Fremden können sich immer wieder darüber aufregen, der ist noch nie mehr als einen Fünfziger gefahren. Den Brenner hat das aber aufgeregt, und deshalb hat er mitten auf der Strecke gesagt:

«Da steige ich aus.»

«Da?»

«Ja.»

«Scheiß mich an.»

Der Johnny hat sich gewundert, weil da ist weit und breit nichts gewesen, wo der Brenner ausgestiegen ist. Ungefähr zwei Kilometer außerhalb von Zell. Aber ein paar hundert Meter weiter Richtung Kaprun, da ist dieser Heustadl, den kennst du bestimmt, wo diese alte Reklame hängt. «Der gute alte Weinbrand» steht oben. Man kann es fast nicht mehr lesen. Aber entfernen tut sie auch niemand, weil die Reklame ist ja direkt auf die Mauer aufgemalt.

Der Brenner hat aber jetzt diese Reklamemalerei noch nicht gesehen. Er hat noch zugeschaut, wie der rosarote Chevrolet umständlich gewendet und sich dann wieder fast im Schrittempo Richtung Zell entfernt hat. Der Mißerfolg mit dem Johnny hat ihn aber jetzt gar nicht mehr geärgert. Er hat ja am Morgen beim Aufwachen gleich gesehen, daß schon wieder so ein schöner, sonniger Herbsttag ist. Und dann hat er auch gleich gemerkt, daß ihn das Berichtschreiben heute schon wieder nicht freut. Da ist die Fahrt mit dem Taxler schon auch ein bißchen eine Ausrede gewesen. Weil der Brenner hat einfach ein bißchen hinauskommen wollen, statt daß er in seinem Hotelzimmer sitzt und den Bericht schreibt. Jetzt ist er über das abgemähte Feld auf den Heustadl zugegangen und um den Heustadl herum, und jetzt hat er erst die Reklame gesehen. «Der gute alte Weinbrand» ist draufgestanden, aber völlig verwittert, und der Brenner hat sich gefragt, wie viele Jahre oder Jahrzehnte das wohl schon da steht.

Jetzt ist aber eines ganz sicher. Daß die Reklame mindestens 25 Jahre alt gewesen ist. Dazu brauchst du kein Labor und kein gar nichts, weil die Reklame ja in die falsche Richtung schaut. Nicht zur Straße hin, sondern von der Straße weg.

Weil vor 25 Jahren ist hier die Schnellstraße fertig geworden, also die, auf der der Johnny immer noch einen Fünfziger fährt. Aber die Reklame hängt auf der anderen Seite von dem Heustadl, die man von der Straße aus gar nicht sehen kann. Weil dort ist die alte Straße vorbeigegangen, und die ist heute schon überall aufgebrochen und sogar Gras drüber.

Nur genau auf der Höhe von dem Heustadl ist sie noch intakt gewesen. Ja, was sag ich, da hat sie sogar einen besseren Asphalt gehabt als die neue Schnellstraße, und die ist inzwischen auch schon dreimal neu asphaltiert worden. Aber die 200 Meter auf der alten Straße, das ist die Zeller Sommereisbahn gewesen, das hat der Brenner bis jetzt auch nicht gewußt.

Er hat jetzt den Asphalteisschützen eine Zeitlang zugeschaut, es ist ungefähr halb eins gewesen, keine Wolke am Himmel, also so schöne Tage gibt es nicht viele in Zell. Und der Brenner hat sich eigentlich überhaupt nicht mehr vorstellen können, wer hier jemanden umbringen soll, weil nichts Friedlicheres als diese Asphalteisschützen.

Außer dem Brenner ist nur noch ein Zuschauer am Rand der

Asphalteisbahn gestanden. Aber am anderen Ende oben, und der Brenner hat ihn von hier aus nicht richtig erkennen können. Auch die meisten Spieler sind jetzt am anderen Ende oben gestanden und haben ihre Stöcke nach und nach heruntergeschossen. Also, das mußt du dir vorstellen, wie man das manchmal im Fernsehen sieht, in Frankreich, dieses mit den silbernen Kugeln. Und das Eisschießen ist auch mehr so ein Pensionistensport, aber man schießt nicht mit Kugeln, sondern mit Eisstöcken. Und damit die Stöcke im Sommer über die Asphaltbahn rutschen, schraubt man die kleinen weißen Plastikplättchen auf die Unterseite.

Aber gerade hat sich der Brenner noch gedacht, daß es nichts Friedlicheres gibt als dieses Pensionistenhäufchen, da sind auf einmal die Fetzen geflogen. Er hat zuerst gar nicht verstanden, worum es bei dem Streit geht.

Jetzt paß auf. Beim Eisschießen geht es ja um Geld, nicht um viel, aber weil es sonst keinen richtigen Spaß macht. Da sind immer zwei Mannschaften. Und jeder Eisschütze macht sich mit einem von der anderen Mannschaft etwas aus. Also, um wieviel Geld sie spielen, praktisch Paare, obwohl Mannschaften spielen. Sagen wir, das eine Paar spielt um zehn Schilling, ein anderes um zwanzig, und vielleicht spielen zwei sogar um fünfzig Schilling. Das braucht nicht gleich sein, müssen sich nur immer zwei finden, die es unter sich ausmachen. Und wenn deine Mannschaft gewinnt, dann kriegst du das Geld, und sonst zahlst du.

Aber nicht, daß du glaubst, daß die wegen dem Geld gestritten haben. Also, da gibt es gar nichts, weil ausgemacht ist ausgemacht. Das ist mehr gewesen, sagen wir: weil es gibt ja bessere Schützen und schlechtere, und da sind die Pensionisten ja gleich wie die Kinder. Jeder glaubt, er ist der bessere. Das würde nichts ausmachen, soll jeder glauben, wie er will. Aber dann gibt es dieses Problem, den «Haggl», und da gibt es jedesmal Streit, ob du es glaubst oder nicht.

Es hat nämlich jede Mannschaft einen Anführer, sagen

wir, wie ein Kapitän beim Fußball. Der heißt «Moar», frag mich nicht, wo das herkommt, aber der heißt einfach so, und der darf zweimal schießen. Alle anderen dürfen nur einmal schießen, aber wenn alle geschossen haben, hat die Mannschaft noch eine letzte Chance, weil dann geht der Moar noch einmal hinauf. Jetzt, wer der Moar ist, das ist ganz genau geregelt, weil das ist immer der Beste aus dem vorhergehenden Spiel, der ist automatisch der Moar. Da gibt es nie einen Streit, aber mit dem Haggl, da gibt es gern einen Streit.

Jetzt, was ist ein Haggl? Wenn heute irgendwo am Nachmittag ein paar Pensionisten und ein paar andere, die vielleicht gerade Zeit haben, Eis schießen, dann ist das ja nicht wie bei einer Meisterschaft, also genau geregelt und auf jeder Seite soundso viele Spieler. Kann es sich zufällig nicht auf eine gerade Zahl ausgehen und die eine Mannschaft hat um einen Mann mehr als die andere, sagen wir: acht auf der einen Seite, neun auf der anderen. Dann ist bei der einen Mannschaft, wo weniger sind, einer der Haggl. Der darf dann auch zweimal schießen, genau wie der Moar.

Und da gibt es natürlich immer Streit, weil es nicht geregelt ist, wer der Haggl ist, der Beste natürlich. Ist ja besser für die ganze Mannschaft, wenn ein Guter ein zweites Mal schießt. Aber was nützt das, wenn jeder glaubt, er ist der Beste.

«Du Haggl?» ruft ein kleiner, ausgemergelter Mann, den der Brenner nicht gekannt hat. Er hat schmutzige Gummistiefel angehabt und einen alten Filzhut am Kopf. Das ist der Gschwentner-Bauer gewesen. Und der, den er gemeint hat, das war der Fux Andi, der ist erst achtzehn oder neunzehn gewesen, aber hat schon eine volle Glatze gehabt.

«Sicher. Damit du deinen Fünfer gewinnst.»

Die anderen haben fest gelacht über die Antwort vom Fux Andi, der seinen Haggl-Posten so frech verteidigt hat. Jetzt mußt du wissen, daß der Gschwentner-Bauer nur so ausgesehen hat wie ein armer Bauer. Aber der ist der größte Bauer weit und breit und geizig, das glaubst du nicht. Und das ist dem sein Geiz gewesen, was der Andi gemeint hat. Daß der um einen Fünfer spielt, obwohl normalerweise ein Zehner schon das wenigste ist.

Der Brenner hat auch gelacht, er hat sich gefreut, daß ihm ausgerechnet an dieser Stelle die Geduld gerissen ist und er aus dem rosaroten Chevrolet vom Johnny ausgestiegen ist. Aber er hat natürlich in dem Moment noch keine Ahnung gehabt, daß er ausgerechnet hier das findet, was er beim Taxler Johnny umsonst gesucht hat. Daß er ausgerechnet bei dieser harmlosen Streiterei eine Spur findet, damit hat er ja in dem Moment überhaupt nicht spekuliert.

Jetzt paß auf, wie das weitergegangen ist. Die Spieler sind alle am oberen Ende der Bahn gestanden und der Brenner herunten und hat darauf gewartet, daß sie anfangen und ihre Stöcke herunterschießen. Und nach und nach sind die Spieler dann heruntergekommen, weil jeder geht natürlich herunter, wenn er geschossen hat. Und der Brenner hat den Vergolder Antretter erst jetzt erkannt. Der ist der Moar der anderen Mannschaft gewesen, also nicht vom Gschwentner und vom Andi, sondern Gegner, und der hat gleich den ersten Schuß gemacht und ist jetzt heruntergekommen, wo der Brenner gestanden ist.

Der Brenner hat sich gewundert, daß der Vergolder mit den gewöhnlichen Leuten Eis schießt. Weil der ist ja normalerweise mit ganz anderen Leuten zusammen. Der deutsche Bundespräsident hat ein Haus in der Gegend, oder der Landeshauptmann kommt zu Besuch, und das sind die Leute vom Vergolder. Der Bürgermeister geht ja auch nicht Eis schießen, höchstens einmal im Jahr, oder wenn eine Wahl ist.

Es hat sich dann herausgestellt, daß der erste Schuß vom Vergolder so gut war, daß er die gesamte gegnerische Mannschaft mit einem Schuß. Praktisch aufgerieben. Weil er hat mit seinem Stock die Taube eingeklemmt, also, so heißt das Ziel beim Eisschießen, Taube, das ist einfach so ein Holzwürfel. Und den hat er mit seinem Stock so gemein mitgenommen, daß er genau zwischen seinem Stock und der Bande eingeklemmt liegenbleibt.

Jetzt ist die andere Mannschaft am Zug, einer nach dem anderen probiert es, aber verhext. Die Stöcke gehen ins Leere, sind zu laut und pfeifen vorbei, oder sie sind zu leise und verstellen noch dazu den Weg, Hindernisse. Daß es unmöglich wird, daß einer den Stock vom Vergolder wegschießt.

Was soll ich sagen, alle acht haben schon geschossen, und der Stock vom Vergolder klebt immer noch auf der Taube, daß du glaubst, angefroren. Jetzt ist der Haggl dran, der muß es jetzt ein zweites Mal probieren. Der Fux Andi packt also seinen Stock und geht wieder hinauf und stellt sich für einen zweiten Schuß auf. Aber in dem Moment, wie er schon die längste Zeit Maß nimmt, schon die längste Zeit seinen Holzstock vor und zurück pendeln läßt, ruft der Vergolder hinauf:

«Schieß voll super!»

Jetzt kannst du dir vorstellen, was für ein Gelächter. Weil der Andi, der ist ja Tankwart, und da stört ihn der Vergolder mitten in der Konzentration und schreit hinauf:

«Schieß voll super, Andi!»

Der Brenner hat zuerst gar nicht verstanden, wieso alle so lachen, weil er nicht wissen hat können, daß der Andi Tankwart ist. Weil der Brenner hat ja kein Auto in Zell gehabt, der ist mehr so ein Spaziergänger gewesen.

Aber der andere Zuschauer, der zuerst ganz oben am entgegengesetzten Ende der Asphalteisbahn gestanden ist, ist jetzt heruntergekommen. Das ist aber kein Zuschauer gewesen, sondern eine Zuschauerin. Eine alte Frau mit dicken Bifokalgläsern. Aber an der ist etwas anderes noch viel auffälliger gewesen. Weil die hat keine Hände gehabt.

Sie ist neben dem Brenner stehengeblieben, und der hat sie gefragt, ob sie das versteht, wieso die Leute so lachen.

«Der Junge ist Tankwart», hat die Frau auf hochdeutsch gesagt.

Zuerst hat sich der Brenner noch gewundert, daß eine Deutsche da heraußen beim Eisschießen zuschaut. Weil das ist mehr so eine einheimische Angelegenheit gewesen. Aber er ist gleich wieder abgelenkt worden, weil auf der Asphalteisbahn ist es jetzt richtig losgegangen.

Der Tankwart hat nämlich inzwischen geschossen gehabt, aber weit daneben. Und jetzt ist er heruntergekommen, ganz einen roten Kopf, und hat dem Vergolder eine Ohrfeige angedroht. Und das mußt du dir einmal vorstellen, der Vergolder, ein schlohweißer siebzigjähriger Millionär, und der Andi, der hat mehr so gewirkt, also nicht besonders intelligent, seine schmutzige Tankwarthose hat er angehabt, eine Glatze hat er gehabt, und er rennt jetzt auf den Vergolder zu und fragt ihn, ob er vielleicht eine Ohrfeige von ihm möchte.

Bei der nächsten Partie neue Mannschaften, und da haben sie keinen Haggl mehr gebraucht. Jetzt sind sie eine gerade Zahl gewesen, weil der Andi hat nicht mehr mitgetan. Der ist trotzig zum Kiosk hinübermarschiert:

«Ein Bier», sagt er zum Gruntner Schorsch, der ist früher bei der Bahn gewesen, und jetzt in Pension führt er noch den Kiosk. Aber es ist heute nicht dem Andi sein Tag gewesen, weil der Gruntner sagt nur:

«Laß dir Zeit.»

Das war deshalb, weil der hat noch zwei andere Kunden zu bedienen gehabt. Der Brenner und die handlose alte Frau haben sich noch vor dem Fux Andi zur Würstlbude gestellt. Und der Brenner ist jetzt erschrocken, weil aus der Ferne hat er den Andi auf 40, wenn nicht 50 Jahre geschätzt, und jetzt hat er erst gesehen, daß der höchstens siebzehn, achtzehn Jahre alt ist.

Der Fux Andi hat wie immer seine rote Latzhose von der Tankstelle angehabt. Auf seiner Brust hat der Brenner noch die Umrisse einer Shell-Muschel erkannt, die muß dort einmal aufgenäht gewesen sein, aber jetzt ist nur mehr der Stoff an der Stelle etwas dunkler gewesen, nicht so ausgewaschen wie rundherum. Wie ein alter Mann steht der da, hat sich der Brenner gedacht, aber dann ist es wieder genau umgekehrt gewesen, wie der Andi geredet hat.

«Laß dir Zeit, laß dir Zeit, laß ich mir eh, Zeit laß ich mir eh, oder?» hat der Haggl den Kioskwirt schwindlig geredet mit seiner hohen, quäkenden Stimme, daß du geglaubt hast, der hat den Stimmbruch noch gar nicht gehabt, praktisch: Eunuch. Und gleichzeitig hat er den Brenner ängstlich angeschaut, also: Steht der vielleicht auf meiner Seite, lacht der über meine Witze? Aber dafür hat der Andi ihm gar keine Zeit gelassen, weil er hat praktisch im selben Atemzug schon wieder ganz was anderes gesagt:

«Du hast es gut, Detektiv.»

Der Brenner hat ja nie versucht, daß er da irgendwie ein Geheimnis oder was daraus macht. Das ist immer so ein alter Streit gewesen, Geheimdetektiv oder praktisch offiziell, also Vor- und Nachteile, da hat es ja immer die Vertreter gegeben überall. Kriminalzeitschriften, Detektivzeitschriften, was es da alles gibt, da ist das immer wieder diskutiert worden.

Das hat den Brenner immer an seine ersten beiden Jahre bei der Polizei erinnert. Weil da ist er noch bei der Verkehrspolizei gewesen. Und da ist ständig darüber diskutiert worden, was besser ist: geheime Radarüberwachung oder daß man warnt: Vorsicht, Radar. Was also den Temposünder mehr abschreckt, gesamt gesehen.

In seinem Fall ist es aber von vornherein klar gewesen, also Geheimdetektiv oder nicht geheim. Die Zeller haben ihn ja schon von der Kripo her gekannt, also mit geheim, das wär sowieso nicht gegangen. Und oft ist es gar kein Nachteil, wenn die Leute sich wichtig machen, wie jetzt der Fux Andi.

«Gut hast du es, sag ich, Detektiv. Weil alle Gauner sind. Brauchst nicht lang suchen bei uns, alles Gauner. Der Gschwentner. Der Vergolder. Millionäre, aber keinen Groschen Trinkgeld. Scheibenputzen ja, Trinkgeld nein. Kühlwasser kontrollieren bitte sehr, Trinkgeld nein danke, schaust mir noch die Luft nach, Andi, Trinkgeld leider nicht, Herr Gauner. Keine Zeit, die Herren Millionäre. Müssen Nachtschicht machen, lifting with Ami.»

Das hat dem Andi so gefallen, was ihm da gerade eingefallen ist in seiner Wut, daß er sich umdreht und zum Vergolder Antretter hinüberschreit:

«Lifting with Ami, Mister Antretter! Want a regening?»

Aber der Vergolder hat gar nicht reagiert auf den Andi. Und auch die anderen haben nicht gelacht, weil die haben sich nicht lachen getraut neben dem Vergolder.

«Verstehst du ‹Regening›, Detektiv? Das heißt auf holländisch: Brauchen Sie eine Rechnung? Holländer beste Trinkgeldnation. Wiener auch gut. Was ist mit dir, Detektiv? Trinkst du nichts? Wann verhaftest du die Gauner endlich?»

Der Brenner hat sich eine Wurstsemmel gekauft und dann den Andi gefragt, nachdem er abgebissen hat, also mit vollem Mund:

«Wen soll ich denn jetzt verhaften? Den Gschwentner oder den Vergolder?»

«Geh, Detektiv, du darfst ja gar keinen verhaften, für wie blöd hältst du mich eigentlich?»

Der Brenner hat eine komische Gewohnheit gehabt. Der gehört zu den Leuten, die, also wenn die eine Wurstsemmel essen, dann wickeln sie sie nur zur Hälfte aus dem Papier aus. Weil an der Seite, wo das Papier noch drauf ist, da halten sie dann die Semmel. Ich muß ehrlich sagen, ich hab von einer Semmel noch nie schmutzige Finger bekommen, aber bitte!

Wie er seine Wurstsemmel halb ausgewickelt hat, fällt ihm auf, daß der Frühpensionist Gruntner seinen Namen auf die Serviette drucken lassen hat. Der Gruntner ist vorher bei der Bahn gewesen, Verschub, und da hat es ihm das linke Bein abrasiert, jetzt ist er in Pension, macht er den Kiosk noch ein bißchen.

Gute Wurstsemmeln macht der, hat sich der Brenner noch gedacht, da hört er den Andi sagen:

«Soll ich dir sagen, wer die beiden Amis in den Lift gesetzt hat?»

Der Brenner hat aber jetzt in Ruhe seine Wurstsemmel essen wollen und gibt dem Andi keine Antwort. Schaut nur praktisch durch den Andi durch zu den Eisschützen hinüber. Aber der Andi gibt keine Ruhe:

«Es kommen nur zwei in Frage. Entweder der Gschwentner oder der Vergolder.»

«Das sagst du jetzt aber schon zum zweitenmal», sagt der Brenner, ohne daß er den Blick von den Eisschützen abwendet.

«Der Pfarrer predigt nicht zweimal», sagt der Andi.

«So ist es.»

«Aber ich bin kein Pfarrer. Ich bin Tankwart. Und nur ein Tankwart kann wissen, was ich weiß.»

«Was weißt du denn», fragt jetzt der Brenner, aber er schaut dabei immer noch zu den Eisschützen hinüber. Aber nur scheinbar. Weil aus den Augenwinkeln heraus beobachtet er, wie die Handlose ihr Bier trinkt.

Die klemmt sich einfach das Bierglas zwischen die Unterarmstümpfe, und so trinkt sie, aber nicht, daß du glaubst: umständlich oder von mir aus unappetitlich. Sondern daß du gedacht hast, das ist ganz normal, daß ein Mensch so trinkt. Und geraucht hat sie genau gleich. Weil die hat nämlich geraucht und gar nicht wenig. Praktisch mit den Handgelenken. Und interessant. Das ist das erste Mal seit Monaten gewesen, daß es den Brenner auch wieder gereizt hätte, eine zu rauchen.

Jetzt hat der Brenner bemerkt, daß die Frau nicht zum erstenmal dasein kann. Der Gruntner Schorsch hat ihr jedenfalls, ohne lange zu fragen, ein zweites, leeres Bierglas hingestellt auf diese Holzrampe, die da rund um den Kiosk geht. Und auf das leere Bierglas hat er einen Aschenbecher gestellt, und da hat die Handlose problemlos ihre Zigarette direkt aus dem Mund ablegen können. So ist es natürlich noch einfacher gewesen.

Das ist dem Brenner jetzt schon irgendwie komisch vorgekommen, der eine hat nur ein Bein, die andere keine Hände, aber so was gibt es.

«Ich weiß, daß nur zwei Menschen in ganz Zell für so ein Verbrechen in Frage kommen», läßt der Andi nicht locker und fuchtelt oberlehrerhaft mit dem Zeigefinger vor dem Gesicht von Brenner.

«Der Vergolder und der Gschwentner», antwortet der Brenner.

«Ganz richtig», lobt der Fux Andi, «aber wieso?»

«Ja, genau. Wieso eigentlich?»

«Weil von allen Zellern nur diese zwei Menschen noch nie einen Schilling Trinkgeld gegeben haben!»

Aber in dem Moment hat sich die Handlose an den Andi gewandt. Und das hat jetzt den Brenner wirklich überrascht. Daß die beiden sich kennen.

«Der Lorenz kommt heute heraus», sagt sie.

«Heute raus, morgen rein», sagt der Andi.

«Ich hole ihn ab», sagt die Handlose.

«Die Rettung holt ihn ab. Dann holen wir ihn ab. Dann holt ihn wieder die Rettung ab. Dann holen wieder wir ihn ab, dann –»

«Kommst du mit?» sagt die Handlose, weil die ist überhaupt nicht auf das Geplapper vom Andi eingegangen.

«Meinen Sie, ob ich verstehe, was Sie sagen, oder ob ich dorthin mitkomme, wo Sie hinfahren: Irrenhaus!»

Die Handlose hat so eine große Brille gehabt, wie es in den siebziger Jahren modern gewesen ist. Und so dicke Gläser, also, von der ihrem Gesicht hast du nicht viel gesehen. Nur ihre Augen sind doppelt so groß gewesen wie normal, weil die muß wahnsinnig weitsichtig gewesen sein.

Mit diesen Riesenaugen hat sie jetzt den Brenner angeschaut und ihn gefragt, ob vielleicht er mitkommen möchte. Sie sagt:

«Ich muß meinen Freund Lorenz Antretter aus dem Krankenhaus abholen. Er wird heute entlassen.»

Jetzt – der Lorenz, das ist der Neffe vom Vergolder gewesen. Und der Lorenz war es auch, der dem Vergolder sein Alibi für die Mordnacht gegeben hat. Der Brenner hat aber versucht, seine Überraschung zu verbergen.

«Sie sind ohnehin zu Fuß hier», sagt die Handlose.

Jetzt natürlich hat man dem Brenner die Verwunderung doch noch angehört, wie er sagt:

«Aber können Sie denn Auto fahren?»

5

Jetzt, den Lorenz Antretter abholen. Das hat den Brenner natürlich interessiert. Mit dem Lorenz ist der Vergolder am 21. Dezember den ganzen Abend zusammengewesen. Da kriegt der Lorenz jedes Jahr sein Weihnachtsgeschenk, immer am 21., weil natürlich am 24. Dezember: nur Familie.

Am 22. Firmenweihnachten mit der Schischule, am 23. mit dem Liftpersonal. Am 24. immer nur engste Familie, dem Vergolder seine Frau, wie sie noch gelebt hat, und ihre Eltern, die sind jedes Jahr zu Weihnachten aus Amerika gekommen. Kinder ja keine, und seit die Frau gestorben ist, nur noch die Schwiegereltern. Und letzte Weihnachten natürlich Schwiegereltern auch nicht mehr.

Aber das hat den Brenner jetzt interessiert, wieso der Lorenz ausgerechnet vom Fux Andi abgeholt wird. Und ehrlich gesagt, noch mehr hat es ihn interessiert, wie das gehen soll, daß die Frau ohne Hände mit dem Auto fährt.

Aber es ist dann gewesen wie mit dem Biertrinken. Also, wie er es gesehen hat, da ist es ihm mehr oder weniger ganz normal vorgekommen. Da sind so Zapfen montiert gewesen am Lenkrad, das hat fast ausgesehen wie das Steuerrad von einem Schiff, von einem Ozeandampfer. Wie im Fernsehen, wo der Steuermann steht und dreht, so hat das ausgesehen, und zwischen diese Zapfen hat die Deutsche ihre Armstümpfe geklemmt, und so hat sie gelenkt.

Der Brenner hat natürlich geglaubt, daß die ein Automatikgetriebe hat, aber nicht, daß du glaubst, daß die ein Automatikgetriebe gehabt hat. Die hat geschaltet, daß es eine Freude war, weil auf den Ganghebel war so eine Art Tasse hinaufgeschraubt, und da hat sie den Armstumpf hineingesteckt, und so hat sie geschaltet.

Und der Brenner hat gestaunt, wie sicher sie gefahren ist. Aber er hat dann nicht mehr viel Zeit gehabt, daß er sich mit der Handlosen beschäftigt. Weil der Andi, der ist hinten gesessen, und der Brenner ist am Beifahrersitz gesessen, und von hinten, da hat ihm der Andi ununterbrochen seine Geschichten erzählt.

Jetzt mußt du wissen, die Leute sagen über den Andi, er ist ein bißchen langsam. Aber dem Brenner ist vorgekommen, daß der Tankwart eher ein bißchen zu schnell ist. Aber gemeint haben sie damit dasselbe, die Leute und der Brenner.

«Das Alibi vom Vergolder, weißt du eigentlich, daß das ein Schmarren ist, Detektiv?»

Der Deutschen ist das komisch vorgekommen, und sie lacht jetzt in den Rückspiegel hinein:

«Kaiserschmarren?»

«Irrenhäuslerschmarren», sagt der Andi.

Dem Brenner ist es so vorgekommen, als ob die Wut vom Andi herumwandert, so wie wenn du heute Zahnweh hast und morgen Halsweh, und übermorgen ist es eine Mittelohrentzündung. Zuerst hat es mit dem Gschwentner-Bauern auf der Asphalteisbahn angefangen, dann hat es den Vergolder erwischt, und jetzt hat dem Andi seine Wut sogar vor seinem Freund Lorenz nicht haltgemacht.

Aber da ist sich der Brenner noch nicht ganz sicher gewesen. Ist es mehr so wie mit einer Entzündung, die herumwandert, praktisch ziellos. Oder ist es mit dem Andi seiner Wut so, wie wenn du dich an einem Kuhzaun elektrisierst, und du gibst jemandem die Hand, und der gibt auch wieder einem die Hand, dann elektrisiert es dich ja nicht selbst, sondern den letzten in der Reihe. Und der letzte in der Reihe, das ist jetzt beim Andi seiner Wut der Lorenz gewesen.

«Wieso denn Irrenhäuslerschmarren?» sagt der Brenner.

«Wo holen wir denn den Lorenz jetzt ab, Detektiv?»

«Im Irrenhäusl», sagt der Brenner.

Aber interessant. Das hat der Andi wieder nicht hören

wollen. Daß ein anderer zu seinem Freund Lorenz Irrenhäusler sagt.

«Aber nicht, daß du glaubst», sagt er, «weil der Lorenz ist noch lange nicht so blöd wie die anderen Zeller. Wenn du den Mario hernimmst.»

Jetzt ist auf einmal der Mario am Ende der Kuhzaunkette gestanden.

«Kennst du den Mario, Detektiv?»

«Vom Fürstauer der Lehrling.»

«Der Mario. Der ist jeden Abend mit seinem Moped tanken gekommen, mit seiner KTM. Immer genau dann, wenn ich gerade beim Zusperren bin. Und jeden Tag hat er genau einen Liter getankt. Da sag ich zum Mario, er soll doch gefälligst wie ein normaler Mensch einmal in der Woche fünf Liter tanken, weil wieso gehen fünf Liter in einen Mopedtank hinein, was glaubst du, Detektiv?»

«Damit man fünf Liter tankt.»

«Oder von mir aus vier. Aber der Mario sagt zu mir: Aber ein Geschäft ist es doch auch so. Da sag ich: Das ist kein Geschäft, weil da reib ich mir mehr von den Schuhsohlen herunter!»

Dem Brenner hat es gleich wieder leid getan, daß er darüber lacht. Weil der Andi natürlich gleich noch einmal:

«Da reib ich mir mehr von den Schuhen herunter.»

Und weil jetzt keiner mehr gelacht hat, ist er unzufrieden gewesen, und natürlich noch einmal:

«Da reib ich mir ja mehr von den Schuhsohlen herunter!»

Der Brenner hat gestaunt, wie flott die Deutsche unterwegs gewesen ist. Manchmal haben sogar Fußgänger hereingestarrt, oder andere Autofahrer haben herübergeschaut und verzweifelt die Hände der Fahrerin gesucht.

Aber mit der Deutschen reden, das ist im Moment unmöglich gewesen.

«Interessant, daß man bei starker Bewölkung das meiste Trinkgeld kriegt. Aber nicht, daß du glaubst. Weil von gewissen Typen kriegst du nie ein Trinkgeld. Aus einem Prinzip heraus. Gewisse Autotypen und gewisse Fahrertypen: nie ein Trinkgeld. Aber interessant, daß sich diese Typen bei einem bestimmten Wetter häufen. Sagen wir Schönwetter. Und noch dazu die meisten Mücken auf der Scheibe bei Schönwetter. Weil da kannst du Leichen waschen. Und die Mückenleichen sind noch das wenigste. Aber die Blauarschfliegen. Weil den Typen, wie dem Vergolder, denen putze ich prinzipiell nie die Scheibe. Ich erzähle ihnen immer, daß es bei diesem Wetter keinen Sinn hat, weil zu viele Blauarschfliegen herum sind. Das ärgert sie, daß ich ihnen immer dieselbe Geschichte erzähle. Aber sie kapieren nie, daß ich sie selber meine mit den Blauarschfliegen. Die Schillingumdreher selber meine ich, die Trinkgeldsparefrohs. Weil ehrlich gesagt, zum Putzen sind die Blauarschfliegen gar nicht am schlimmsten. Schlimm sind die Vogelbienen, die sind so groß wie ein Vogel, im zerquetschten Zustand. Aber ich meine ja die Schillingumdreher selber, wenn ich zu den Blauarschfliegen sage, daß so viele Blauarschfliegen herum sind.»

Irgendwann ist der Andi dann doch müde geworden, und wie die Tunnel gekommen sind, ist er auf der Rückbank hinten eingeschlafen.

«Er ist wie ein Kind», sagt die Deutsche.

«Haben Sie Kinder?» fragt der Detektiv.

Aber im Auto vor ihnen, das muß ein Verrückter gewesen sein. Mitten im Tunnel schert der aus, überfährt die doppelte Sperrlinie und überholt einen LKW. Das ist der Tunnel gewesen, in dem es erst vor einem halben Jahr fünf Tote gegeben hat, weil einer die gleiche Idee gehabt hat. Diesmal ist nichts passiert, nur der Detektiv hat vergessen, daß er gerade eine Frage gestellt hat.

«Kommen Sie eigentlich aus Holland?»

Die Handlose hat nämlich so ein eigenartiges Hochdeutsch gehabt. Umständlich hat es geklungen oder irgendwie, sagen wir, wie wenn im Fernsehen eine Oper ist. Nicht nur gestochenes Hochdeutsch, sondern praktisch zum Quadrat. So wie Hochdeutsch für uns klingt, so klingt vielleicht der Handlosen ihre Sprache für einen Hochdeutschen. Irgendwie gestelzt, so wie die Leute klingen, die eine Fremdsprache perfekt beherrschen. Und daß es nicht seine Muttersprache ist, merkst du nur daran, weil er nie einen Fehler macht. Jetzt hat der Brenner sich gedacht, vielleicht ist sie Holländerin.

«Ich komme aus Hamburg.»

Und das ist natürlich auch sehr fremd für unsere Ohren, das Hamburgische. Oder, sagen wir, oben, Schleswig-Holstein, mit dem, wo man den in der Badewanne gefunden hat.

«Aber ich wohne schon über ein Jahr in Zell», sagt sie.

«Richtig wohnen?» sagt der Brenner.

«Kennen Sie den Preußenstadl?»

Der Brenner hat den Preußenstadl natürlich gekannt. Das ist so ein riesiges Appartementhaus im Almhüttenstil, vierstöckig, mit 52 Wohnungen, sündteuer, und die gehören fast alle Deutschen, die haben sich da so Ferienappartements gekauft.

«Ich bin eine Dauerfremde.»

«So ähnlich wie ich.»

«Ja und wie die alten Amerikaner. Die waren auch häufig in Zell.»

«Haben Sie die denn gekannt?»

«Bei einem Amerikaner weiß man doch nie genau, ob man ihn kennt.»

«So gut haben Sie sie gekannt?»

«Da ich passabel Englisch spreche. Und dann hatten wir dieses gemeinsame Interesse.»

«Das Eisschießen?»

«Nein, das Eisschießen hat sie überhaupt nicht interessiert.»

Die Deutsche hat jetzt ihre ganze Konzentration gebraucht, um zwei Sattelschlepper in einer Autobahnkurve zu überholen. Dann hat sie gesagt:

«Das Heimattheater.»

«Aber die haben doch kein Wort Deutsch verstanden!»

«Ich verstehe ja den Dialekt auch nicht immer. Aber trotzdem. Wir haben uns sogar beim Vormachen kennengelernt.»

«Vormachen? Das versteh jetzt ich nicht.»

«Sie waren noch nie beim Vormachen? Das müssen Sie unbedingt! Ein hübscher Brauch. Bei der nächsten Hochzeit müssen Sie mit mir zum Vormachen gehen. Sonst kamen die alten Amerikaner ja selten vom Vergolder-Schloß in die Stadt herunter. Immerhin achtzig Jahre alt. Aber beim Vormachen waren sie immer dabei, wenn sie überhaupt in Zell waren. Sie liebten das Vormachen.»

«Aber was das ist, dieses Vormachen, wollen Sie mir nicht erklären.»

«Ach, das Vormachen, das kann man nicht erklären», sagt die Deutsche und starrt konzentriert auf die Straße.

Dem Brenner ist es jetzt egal gewesen, ob sie ihm erklärt, was das Vormachen ist, oder nicht. Hauptsache, sie fährt nicht auf den Wohnwagen vor ihnen auf, das ist jetzt seine einzige Sorge gewesen.

«Die Brautleute kommen aus der Kirche, und am Kirchplatz spielen ihnen die Einheimischen kleine Theaterszenen vor. Anekdoten aus der Vergangenheit des Bräutigams und der Braut. Wie sich das Paar kennengelernt hat. Sehr komisch und oft ganz schön – nun, sagen wir: direkt. Ich lache jedesmal Tränen beim Vormachen.»

«Und die Amerikaner haben sich auch amüsiert.»

«Was heißt amüsiert. Jedesmal erzählten sie mir vom Vormachen bei der Hochzeit ihrer Tochter mit dem Vergolder Antretter vor weiß Gott wie vielen Jahren. Sie wissen ja, alte Leute erzählen einem immer dasselbe. Der Vergolder sei damals ernstlich beleidigt gewesen.»

«Ein Bräutigam versteht keinen Spaß.»

«Wie gesagt, es geht oft reichlich direkt zur Sache. Und

anscheinend hat man auf das Verhältnis des Vergolders mit einer Krankenschwester angespielt beim Vormachen.»

«Und das hat die Amerikaner amüsiert, daß ihr Schwiegersohn es nebenbei mit einer Schwester hat?»

«Nicht nebenbei. Früher mal. Jugendsünde. Aber die Alten hat einfach der ganze Zirkus amüsiert.»

«Das ist was für die Amerikaner. Immer mit ihren fünf Scheidungen, da könnten die oft vormachen.»

«Nein, nein, Herr Detektiv, Vorurteile! Die hatten doch eben ihren sechzigsten Hochzeitstag!»

«Was Sie alles wissen.»

Dem Brenner wäre es jetzt fast lieber gewesen, wenn der Andi wieder aufgewacht wäre. Weil die Deutsche hat eine schlechte Gewohnheit gehabt. Sagen wir, rein autofahrerisch gesehen. Sie hat einem beim Reden immer ganz genau in die Augen geschaut. Jetzt ist einem das normalerweise schon nicht unbedingt angenehm. Aber in dem Fall. Sie ist ja mit 130 über die Autobahn gezischt. Und dann: also immerhin ohne Hände, auch wenn sie gut gefahren ist, da gibt es nichts, aber doch nur ihre zwei Armstümpfe am Lenkrad. Und dreht beim Reden immer ihre Augen von der Straße weg und schaut den Brenner mit ihren Riesenaugen an. Weil die sind von ihrer Weitsichtigenbrille so unnatürlich vergrößert worden.

«Es ist sehr schön hier», sagt sie.

«Hier im Tunnel?» sagt der Brenner.

Er hat sich gedacht, mach ich einen Scherz und bring ich sie vielleicht dadurch wieder dazu, daß sie auf die Straße schaut, wenigstens im Tunnel, weil das ist einer mit Gegenverkehr gewesen. Aber nichts da, sie hat es nicht als Scherz verstanden, und der Brenner natürlich gleich mit dem Vorurteil: die Deutschen und keinen Humor. Sie schaut ihn mit ihren Polypenaugen an und sagt:

«Nein, hier in Zell.»

«Gefällt es Ihnen nicht in Hamburg?»

«Doch. Sehr schön. Sehr schön. Aber dort muß alles sehr schnell gehen. Hier darf alles ein bisserl langsamer gehen.»

Da sind natürlich bei uns alle Leute gleich. Wir mögen es nicht, wenn ein Deutscher unseren Dialekt nachmacht. Dem Brenner ist es da nicht anders gegangen. Und dann noch das mit dem «langsam», praktisch, also es stimmt natürlich, aber wir hören es nicht gern. Jetzt hat es die Handlose aber gar nicht so allgemein gemeint, weil die sagt jetzt:

«Sogar das Morden darf hier langsam gehen. In Hamburg wird abgeknallt. Und hier wird tiefgefroren.»

Und dann lacht sie auch noch. Der Brenner hat sich gedacht: Das versteh jetzt wieder ich nicht, was da lustig sein soll. Aber er hat nichts gesagt.

Wie sie dann dagewesen sind, haben sie zuerst den Krankenhausportier nicht gleich gefunden. Und der hat dann wieder die zuständige Stationsschwester nicht gefunden. Also nicht, daß du mich falsch verstehst, alles hier war sauber und gut organisiert. Vielleicht ein bißchen langsam. Aber natürlich in erster Linie die Patienten, praktisch verlangsamt, also Medikamente, sind mit diesem stieren Blick durch den Park spaziert. Weil die haben da einen wunderschönen Park, und es ist jetzt erst drei Uhr gewesen, herrlicher Herbsttag, warm, 27 Grad, und da haben sich die Patienten natürlich auch gedacht: Nütze ich das noch einmal aus.

Aber der Lorenz ist nicht dagewesen. Überhaupt nicht. Er ist gerade vor einer Viertelstunde abgeholt worden. Von seinem Onkel, sagt die Stationsschwester.

Jetzt ist natürlich der Andi ganz blaß geworden. Und die Deutsche hat auch ein bißchen komisch geschaut. Weil der Lorenz hat ja nur einen Onkel. Und das ist der Vergolder Antretter. Und der ist noch auf der Asphalteisbahn gewesen, wie die drei losgefahren sind.

Wie der Brenner zwei Tage später die Schmittenstraße hinuntergeht, ist schon der 9. September gewesen. Es ist immer noch nicht kühler geworden, und der Altweibersommer hat Zell in ein Licht getaucht, daß du geglaubt hast, die Berge stehen direkt vor deiner Haustür.

Und dazu ist immer diese Musik gelaufen, also nicht in Wirklichkeit. Dem Brenner sein Kopf, der hat irgendwie diesen Tick gehabt. Plötzlich ist irgendein Schlager aus seinem Gedächtnis aufgetaucht, und er ist ihn nicht mehr losgeworden. Aber nicht, weil er das Lied wo gehört hat, und deshalb. Sondern auf einmal ist es dagewesen, aus dem Nichts heraus. Und jetzt paß auf. Wenn der Brenner sich dann überlegt hat, was für einen Text dieses Lied eigentlich hat, obwohl er ja innerlich nur die Melodie gesummt hat, dann hat der Text immer genau gepaßt. Genau zu der Situation, in der er gerade gesteckt ist.

Und wie er jetzt in die Post hineingeht, summt er schon wieder dieses französische Chanson vor sich hin, das ihn schon den ganzen gestrigen Tag geplagt hat. Aber nicht, daß du glaubst, der hat jetzt endlich seinen Bericht für das Detektivbüro Meierling abgeschickt. Weil der hat den Bericht immer noch nicht geschrieben gehabt.

Das Kuvert, das er abgegeben hat, ist nur eine private Angelegenheit gewesen, wegen seiner Versicherung, weil das ist ja jetzt alles viel komplizierter gewesen, seit er nicht mehr bei der Polizei angestellt ist. Hinter dem Schalter ist die Bacher Leni gesessen, und dem Brenner ist aufgefallen, daß ihre modische Kleidung nur noch mehr unterstreicht, was für ein bäuerliches Gesicht die Leni hat.

Sie hat ihn wissend angelächelt, weil sie geglaubt hat, es ist der Bericht, und er hat seinen Bericht ja Woche für Woche bei ihr abgegeben. Und dem Brenner ist sogar vorgekommen, daß sie enttäuscht schaut, wie sie die Adresse liest, also daß das Kuvert nur für die Gebietskrankenkasse gewesen ist.

Es ist aber gleich viel Porto gewesen wie sonst immer, wenn der Brenner seinen Bericht geschickt hat, und die Leni hat ihm gewohnheitsmäßig eine Quittung dafür gegeben. Der Brenner hat die Quittung eingesteckt, aber er hat schon gewußt, daß er sie genauso verlieren wird wie all die anderen Quittungen. Aber es sind ja immer nur sieben Schilling fünfzig gewesen.

Das Lied ist ihm immer noch umgegangen, wie er beim Hinausgehen einen Zehner in den Brieflosautomaten gesteckt hat. Und dann hat er noch einmal kehrtmachen müssen, weil er einen Gewinn gehabt hat, zehn Schilling, und die hat er sich gleich am Geldschalter geholt.

Vor ihm ist so eine geschminkte Geschäftsfrau mit einem ganzen Stapel von Zahlscheinen gestanden. Jetzt hat er ein paar Minuten auf seinen Zehner warten müssen, und da ist ihm wieder die Melodie durch den Kopf gegangen, also ein richtiger Ohrwurm, obwohl es von der Melodie her überhaupt kein Ohrwurm gewesen ist.

Dann hat er den gewonnenen Zehner wieder in den Brieflosautomaten geworfen, und dann ist er aber froh gewesen, daß er dieses Mal nichts gewonnen hat, weil so hat er wenigstens nicht noch einmal zurückmüssen. Und eigentlich hätte er schon längst in der Bahnhofstraße sein sollen, im Waffengeschäft Perterer, weil gestern hat er sich nicht entscheiden können.

Aber heute muß ich mich entscheiden, hat sich der Brenner gedacht, und das ist seine alte Krankheit gewesen. Daß er sich nicht entscheiden kann. Und vielleicht hat er deshalb so lange mit dem Brieflos herumgetan, bevor er sich endlich auf den Weg zum Zeller Waffengeschäft gemacht hat.

Und natürlich gleich wieder die Melodie. Das erste Mal ist

es ihm so gegangen, da ist der Brenner erst sechzehn gewesen, und seine erste Freundin ist ihm damals davongelaufen. Da ist ihm tagelang eine Melodie durch den Kopf gegangen, so ein amerikanisches Kirchenlied ist das gewesen, und er hat das Lied schon regelrecht gehaßt. Also am liebsten wie einen Pickel, daß du den ausdrückst. Aber er ist es einfach nicht losgeworden. Das ist dieses, kennst du vielleicht eh: «Nobody knows the trouble», also quasi Selbstmitleid gewesen.

Aber bitte, das ist wenigstens ein bekanntes Lied. Aber dieses Mal ist es ein Lied gewesen, das hat der Brenner überhaupt nur ein einziges Mal in seinem ganzen Leben gehört. Die Französischlehrerin hat es ihnen einmal in der Schule vorgespielt, weil die hat immer in der Stunde vor Weihnachten so einen uralten Plattenspieler in die Klasse geschleppt, und da hat sie ihnen Chansons vorgespielt. Georges Moustaki, das hat der Brenner heute noch gewußt. Der hat gesungen:

«Rien n'a changé, mais pourtant tout est different.»

Und wirklich hat sich eigentlich nichts verändert. Der Brenner hat nichts Neues gewußt, sagen wir: daß man es in einer zehnzeiligen Zusammenfassung als Neuigkeit hervorheben kann. Und doch. Alles ist jetzt auf einmal anders gewesen.

Daß der Vergolder seinen Neffen Lorenz abholt, das hat einfach nicht hineinwollen in den Schädel vom Brenner. Wo doch jeder in Zell weiß, daß der Lorenz seinen Onkel regelrecht haßt. Das hat ja dem Vergolder sein Alibi so wasserdicht gemacht, daß es vom Lorenz gekommen ist. Und jetzt sieht der Vergolder beim Eisschießen, daß der Brenner mit der Deutschen den Lorenz abholen fährt, sagt keinen Mucks und rast selber hinaus, damit sie ihn nicht mehr erwischen.

«Rien n'a changé, mais pourtant tout est different», hat es im Brenner seinem Kopf wieder und wieder gesungen, wie er mehr oder weniger ferngesteuert zum Waffengeschäft hinausspaziert ist. Weil das mit der Pistole ist natürlich ein Problem gewesen. Wenn du es zwanzig Jahre gewöhnt bist. Seit der Brenner von der Polizei weg ist, ist natürlich auch seine Pistole weg. Und was soll das für ein Detektiv sein ohne Pistole.

Jetzt kennst du vielleicht den Zeller Waffenhändler in der Bahnhofstraße. Den Perterer. Den jungen Perterer. Weil natürlich der alte Perterer – eine tragische Geschichte. Aber das ist nicht der erste Geschäftsmann gewesen, den eine Steuerprüfung aufgenudelt hat. Aber wenn es heute einen Trafikanten erwischt oder einen Bäcker, der hat nicht so eine gefährliche Ware im Geschäft. Kann er nicht die Ware praktisch gegen sich selbst richten. Dann schläft er einmal drüber, und am nächsten Tag bringt er sich auch nicht mehr um, Steuern hin oder her.

Aber natürlich bei einem Waffenhändler. Hat der alte Perterer die *Smith & Wesson* gegen sich selbst. Das ist aber jetzt auch schon wieder ein Jahr hergewesen, noch vor dem Brenner seiner Zeit.

Der junge Perterer hat in Paris studiert, wie die tragische Sache mit seinem Vater gewesen ist. Sprachen hat der studiert. Jetzt hat er heimmüssen, das Geschäft übernehmen. Der hat sich für Waffen zwar weniger interessiert, aber die Mutter allein daheim, und da hat er sich gesagt, wieso soll ich dauernd in Paris den Boulevard auf und ab gehen, wenn ich daheim ein sauberes Waffengeschäft habe. Und mit den Steuern hat ihm der Bürgermeister ein bißchen geholfen, weil ein junger Mensch, da haben die Zeller gesagt, helfen wir ihm ein bißchen.

«Haben Sie sich entschieden?» fragt der junge Perterer gleich, wie der Brenner ins Geschäft kommt. Weil das ist jetzt insgesamt schon das vierte Mal gewesen, daß der Brenner zu ihm gekommen ist.

«Ich weiß nicht», sagt der, und das ist die Wahrheit gewesen, weil er ist immer noch geschwankt zwischen drei Modellen, die alle ihre Vorteile gehabt haben.

«Nur schön Zeit lassen», sagt der junge Perterer, weil der ist alles andere als ein aufdringlicher Verkäufer gewesen, ganz anders als sein Vater. Aber der Brenner hätte es sich jetzt fast gewünscht, daß ihm der junge Perterer was aufdrängt, weil selbst hat er sich ja doch nicht entscheiden können.

«Ich glaube fast, daß ich die *Walther* nehmen werde.»

«Ja, die *Walther*, da kann man nichts falsch machen.»

«Obwohl – gefallen tut sie mir nicht.»

«Das ist natürlich Geschmackssache.»

«Der Griff gefällt mir nicht.»

«Ja, der Griff ist Geschmackssache.»

«Der Lauf gefällt mir.»

«Der Lauf ist eins a.»

«Aber der Griff.»

«Dann nehmen Sie die *Smith & Wesson*, die hat einen schönen Griff.»

Aber nicht, daß der junge Perterer dem Brenner die teuere *Smith & Wesson* hätte einreden wollen. Der Brenner hat sich ja jetzt schon wochenlang im Kreis gedreht, soll ich die *Walther* nehmen oder die *Smith & Wesson*.

«Oder können Sie mir doch die *Glock* noch einmal herausgeben.»

Der junge Perterer hat ihm ohne eine Spur von Ungeduld die *Glock* aus dem Schrank geholt.

«Schön leicht ist sie halt, die *Glock*», sagt der Brenner.

«Und eine Präzision.»

«Glauben Sie, daß ich die *Glock* nehmen soll?»

«Die amerikanische Polizei hat auch die *Glock*.»

«Ja, vielleicht daß ich die *Glock* nehme», sagt der Brenner und legt die *Glock* auf den Ladentisch vom jungen Perterer zurück.

Aber nicht, daß du glaubst, der Brenner hätte was gegen Waffen gehabt, praktisch prinzipiell. In seiner ruhigen Art ist der sogar ein sehr guter Schütze gewesen. Dienstlich hat er zwar nie einen erschossen, aber Übung Spitze. Das ist die

Atemtechnik gewesen, weil der Brenner hat sich wegen seinem dauernden Kopfweh einmal von einem Yogalehrer so eine Atemtechnik zeigen lassen. Jetzt, gegen das Kopfweh hat es nichts genützt, aber beim Schießen gewaltiger Vorteil.

«Vielleicht schau ich am Abend noch einmal vorbei», sagt der Brenner zum jungen Perterer und macht sich eilig auf den Weg. Er hat jetzt wirklich keine Ruhe zum Aussuchen gehabt. Er hat ja ins *Feinschmeck* müssen. Aber heute ist es nicht die Serviererin Erni gewesen, weshalb es ihn so ins *Feinschmeck* gezogen hat.

In den fünfziger Jahren muß das *Feinschmeck* das modernste Lokal weit und breit gewesen sein. Wie der Brenner jetzt das Lokal betritt, fällt sein Blick zuerst auf die Instrumente von der Tanzband, die da an drei Abenden in der Woche spielt, weil das ist immer schon so gewesen, daß im *Feinschmeck* Musik ist. Aber mehr hat der Brenner natürlich nicht gebraucht.

«Rien n'a changé, mais pourtant tout est different», spielt ihm sein Hirn beim Anblick der Instrumente sofort wieder vor.

Das *Feinschmeck* ist noch fast leer gewesen. Nur die Tarockierer sind natürlich hier gewesen, und an einem zweiten Tisch ist eine alte Frau gesessen und hat mit einer Lupe eine Illustrierte gelesen. Und ganz hinten im zweiten Raum, der sonst vollkommen leer gewesen ist, hat der Lorenz Antretter auf ihn gewartet.

Der Brenner hat ihn vom Sehen gekannt, aber noch nie mit ihm gesprochen. Der Lorenz ist ungefähr im Brenner seinem Alter gewesen. Aber zwei unterschiedlichere Typen hast du dir nicht vorstellen können.

«Warten Sie schon lange?» fragt der Brenner.

Der Lorenz nickt. Er ist so dünn gewesen, daß der Brenner sich gefragt hat, wie er überhaupt seinen Kopf halten kann.

«Nein. Zehn Minuten.»

Jetzt, entweder ist der Lorenz Kettenraucher gewesen, oder er ist sehr nervös, weil im Aschenbecher sind schon vier Zigarettenkippen gelegen. Und wenn er nervös war, ist er es dann wegen dem Brenner gewesen, oder ist er es überhaupt immer gewesen?

«Wie geht es Ihnen?» fragt der Brenner und setzt sich vis-à-vis vom Lorenz hin.

Jetzt hat der Lorenz schon zum zweitenmal diese Bewegung gemacht, und vielleicht ist es auch daran gelegen, daß der Brenner sich gefragt hat, wie der überhaupt seinen Kopf halten kann. Zuerst hat es angefangen wie ein Nicken, nur mit dem einen Unterschied, daß der Kopf dann nicht mehr in die Höhe gekommen ist. Und genau in dem Moment hat er sich dann immer seine blonden Locken aus der Stirn gestrichen, oder sind die schon mehr weiß gewesen, genau so dazwischen, daß man es nicht sagen kann.

Aber interessant. Beim nächstenmal nickt er wieder so, und wieder läßt er den Kopf unten. Also, irgendwie muß er seinen Kopf zwischendurch heimlich wieder hinauftun, weil wie könnte er sonst beim nächstenmal wieder von oben hinunternicken.

«Was kriegen wir?» fragt die Kellnerin Erni.

Der Lorenz hat aber schon ein Glas Sodawasser am Tisch stehen gehabt, jetzt ist klar gewesen, daß das «wir» nur dem Brenner gilt. Das ist immer gewesen, wenn die Erni nicht recht gewußt hat, ob sie einen duzen soll oder siezen, dann hat sie ihn so angeredet.

Ein paar Tage vorher hat sie den Brenner zum erstenmal mit diesem «wir» angeredet. Und der Brenner hat damals die Gelegenheit gleich ergriffen, weil er hat sich blöd gestellt und die Kellnerin gefragt, heißt das, daß du etwas mit mir mittrinkst. Da hat sie ein Achtel auf Kosten vom Brenner hinunterkippen müssen. Und vielleicht hat sie deshalb jetzt so frech gegrinst, wie sie sagt:

«Was kriegen wir?»

«Ein Bier», sagt der Brenner, obwohl, normalerweise hat der um die Zeit noch kein Bier getrunken.

«Danke, daß Sie sich Zeit für mich genommen haben», sagt er zum Lorenz, und der macht wieder seinen halben Nicker und wischt sich seine Locken aus der Stirn und zieht an seiner Zigarette.

«Sie wissen ja, wieso ich mit Ihnen sprechen will.»

Wieder dem Lorenz sein halber Nicker.

«Haben Sie die Ermordeten eigentlich gut gekannt?»

«Nein danke», sagt der Lorenz.

«Und zu Ihrem Onkel haben Sie ja auch nicht das beste Verhältnis.»

Pause. Dann sagt der Lorenz langsam:

«Wieso fragen Sie das? Wenn Sie es ohnehin wissen.»

«Aber wieso sind Sie dann ausgerechnet am Abend des 21. Dezember bei ihm gewesen?»

Pause. Jetzt ist dem Brenner langsam gedämmert, daß die Medikamente aus der Nervenklinik den Lorenz nicht gerade schneller gemacht haben.

«Wie oft soll ich das eigentlich noch erklären?»

«Einmal noch», sagte der Brenner.

«Jedes Jahr bin ich am 21. Dezember bei meinem Onkel. Das ist mein Weihnachten.»

«Schon am 21.?»

«Ja. Weil am 23. ist für meinen Onkel Betriebsweihnachten, also Schischule. Am 22. Seilbahnen. Und am 24. ist Familie.»

«Wann ist Ihr Vater gestorben?»

«Das ist gewesen, da war er genau gleich alt wie ich jetzt, da ist er gestorben.»

Der Lorenz hat auf den Brenner ganz emotionslos gewirkt, das müssen auch die Medikamente gewesen sein, und deshalb fragt der Brenner ohne große Rücksicht weiter:

«Und woran ist er gestorben?»

«Weiß ich nicht.»

«Sie wollen nicht darüber reden?»

Der Lorenz macht wieder seinen halben Nicker und fischt sich die nächste Zigarette aus der Packung. Dann sagt er:

«Lungenkrebs.»

Sagt der Brenner:

«Wie alt sind Sie damals gewesen?»

Sagt der Lorenz:

«Dreizehn.»

Sagt der Brenner:

«Und wer ist dann Ihr Vormund gewesen?»

Sagt der Lorenz:

«Mein Onkel.»

Sagt der Brenner:

«Ist der Vergolder eigentlich Ihr Onkel väterlicherseits oder mütterlicherseits?»

Sagt der Lorenz:

«Beiderseits. Der ist mein Onkel beiderseits.»

Sagt der Brenner:

«Das müssen Sie mir aber jetzt erklären.»

Sagt der Lorenz:

«Mein Vater ist ja nicht mein leiblicher Vater gewesen. Weil den leiblichen Vater habe ich nie gekannt. Und meine Mutter ist ja verschwunden. Also nach meiner Geburt. Wahrscheinlich im See, sagen die Leute. Deshalb gehe ich nie schwimmen. Ich bin noch nie im See geschwommen. Deshalb glauben die Leute, daß ich spinne. Einmal bin ich eh geschwommen. In der Nacht. Im Winter allerdings. Bin ich fast abgesoffen. Da hat mein Vater aber noch gelebt. Hab ich ihm Sorgen gemacht. Mein Vater ist an Sorgen gestorben, wissen Sie.»

Sagt der Brenner:

«Ihr Adoptivvater.»

Sagt der Lorenz:

«Ja, von mir aus, mein Adoptivvater.»

Sagt der Brenner:
«Warum hat der Sie aufgenommen?»
Sagt der Lorenz:
«Der ist eben mein Onkel gewesen. Zwei Onkel habe ich gehabt. Zwei Brüder von meiner Mutter eben. Hat mich einer eben aufgenommen.»
Sagt der Brenner:
«Aber die beiden Brüder haben sich nicht besonders gut verstanden.»
Sagt der Lorenz:
«Sagen wir gehaßt.»
Sagt der Brenner:
«Was ist Ihr Vater von Beruf gewesen?»
Sagt der Lorenz:
«Mein Vater hat meinem Onkel vergolden geholfen. Der ist wirklich Vergolder. Kirchenmaler. Hat aber keine Zeit zum Vergolden. Also hat er meinen Vater abgerichtet.»
Sagt der Brenner:
«Und Sie? Was sind Sie von Beruf?»
Sagt der Lorenz:
«Ich hab meinem Vater vergolden geholfen.»
Sagt der Brenner:
«Und wovon leben Sie heute?»
Sagt der Lorenz:
«Der Vergolder ist ein Parasit. Parasit der Gesellschaft. Und ich bin der Parasit des Vergolders.»
Sagt der Brenner:
«Wieso haben Sie eigentlich Ihrem Onkel ein falsches Alibi gegeben, wenn Sie ihn so wenig schätzen?»
Sagt der Lorenz:
«Sagen wir hassen.»
Sagt der Brenner:
«Gut, sagen wir hassen.»
Sagt der Lorenz:
«Weil schätzen tu ich ihn schon. Ich schätze ihn schon. Am

21. Dezember gehe ich immer zu ihm. Da krieg ich immer ein Sparbuch.»

Sagt der Brenner:

«Und wieso sind Sie dann ausgerechnet heuer nicht zu ihm hinaufgegangen? Und wieso haben Sie trotzdem ausgesagt, daß Sie bei ihm oben waren?»

Der Lorenz hat der Erni gedeutet, daß sie ihm noch ein Viertel Sodawasser bringen soll. Jetzt hat der Brenner natürlich gewußt, daß man Alkoholiker am besten daran erkennt, daß sie sich dauernd Mineralwasser bestellen. Er hat einen Schluck Bier getrunken, um dem Lorenz Zeit zu geben. Vielleicht findet er auf seinem verschlungenen Weg doch noch irgendwo eine Antwort auf meine Frage, hat sich der Brenner gedacht.

«Ich habe meinem Onkel das mit dem Nervenzusammenbruch erklärt»,

sagt der Lorenz.

Sagt der Brenner:

«Sie haben einen Nervenzusammenbruch gehabt?»

Sagt der Lorenz:

«Das mit dem Nervenzusammenbruch der Berge. Die Leute werden es schon sehen. Im Dezember werden es die Leute schon sehen.»

Sagt der Brenner:

«Was ist im Dezember?»

Sagt der Lorenz:

«Da werden sie sich wundern.»

Sagt der Brenner:

«Ich?»

Sagt der Lorenz:

«Nein, die Leute.»

Sagt der Brenner:

«Und worüber wundern?»

Sagt der Lorenz:

«Meinen Vater hat es gekränkt, daß ich mich so für das

Vergolden begeistert habe. Zuerst hat er gewollt, daß ich ihm helfe, aber dann hat es ihn gekränkt. Weil ich hab ihm ja nur helfen sollen, weil er die Arbeit allein nicht mehr gepackt hat. Aber er hat nicht gewollt, daß ich mich so dafür begeistere. Da bin ich ja erst, sagen wir, neun oder zehn Jahre alt gewesen. Der Vergolder hat ein Souvenirgeschäft, das kennen Sie vielleicht, Rieder heißt es, gehört aber dem Vergolder.

Mein Vater hat mir Naturstudien beigebracht. Er hat gern gezeichnet früher. Alle haben Malertalent, Großvater auch Kirchenmaler. Aber er hat vergolden müssen. Kinder und so weiter. Jetzt hat er mir Naturstudium beigebracht. Weil er hat gleich gesehen, daß ich Talent habe. Jetzt ist er enttäuscht gewesen, wie er mich in das Souvenirgeschäft mitgenommen hat, weil er die Arbeit allein nicht mehr gepackt hat. Daß ich so auf das Vergolden und überhaupt auf das Souvenirgeschäft abgefahren bin. Weil ich bin ja noch ein Kind gewesen, und der ganze Klimbim hat mir natürlich gefallen.

Und das Zeichnen, er ist vielleicht zu streng mit mir gewesen. Er hat immer gesagt, das Gold braucht man nicht, weil die Landschaft selbst leuchtet. Als Kind habe ich das natürlich nicht richtig verstanden.

Auch das echte Gold ist Katzengold, sagt mein Vater mit seiner heiseren Stimme, weil da ist schon der Lungenkrebs gewesen, aber wir haben es noch nicht gewußt. Das habe ich nicht verstanden mit dem Katzengold.

Zuerst nimmt er mich mit zum Vergolden und dann, das hab ich eben damals noch nicht verstehen können. Mein Vater sagt, die Landschaft selbst leuchtet. Wenn man sie nur lange genug anschaut, dann spürt man ihre Nerven. Ich habe aber nicht verstanden, was das heißen soll, daß man die Nerven der Landschaft spürt.

Ich habe nur meine eigenen Nerven gespürt. Wieso soll das Gold auf einmal nicht leuchten, habe ich mich gefragt, wenn ich es doch leuchten gesehen habe. Alles im Souvenirgeschäft hat geleuchtet, sogar der Lippenstift auf den Zigarettenkippen des Lehrmädchens hat geleuchtet. Nur die Landschaft hat nicht besonders geleuchtet. Erst nachdem mein Vater gestorben ist, habe ich es langsam gespürt, wie die Berge immer nervöser geworden sind.»

Jetzt geht es einem ja oft so, daß man sich manchmal Dinge überlegt, also genau im falschen Moment ganz was Unpassendes. Und der Brenner hat sich jetzt kurz überlegt, wie sich der Meierling das vorstellt, also sein Chef quasi, weil Meierling hat der ja nicht geheißen, nur das Büro hat Meierling geheißen, Brugger hat der geheißen, wie sich der Brugger das vorstellt, wie er das, was der Lorenz da erzählt, in eine zehnzeilige Zusammenfassung bringen soll.

Der Lorenz hat sich schon wieder eine Zigarette an der anderen angezündet, und diese Pause hat der Brenner ausgenützt, und er fragt jetzt noch einmal:

«Was passiert denn im Dezember?»

Der Lorenz sagt: «Wie ich klein war, hat mein Vater immer *Elefanten* zu den Bergen gesagt. Dann haben sie angefangen und den Wald umgeschnitten. Für die Schilifte. Aber wenn überhaupt kein Laub mehr verfault auf dem Rücken der Elefanten, dann ist es, wie wenn dir einer die Rheumadecke aus faulem Laub wegzieht.»

Jetzt hätte es sich der Brenner natürlich leichtmachen können und das alles als Verrücktheit vom Tisch wischen. Aber andererseits hat er sich gedacht, viel etwas anderes ist es auch nicht, was der Lorenz da sagt und was man täglich in der Zeitung lesen kann. Und er hat jetzt nicht die Geduld verloren und fragt:

«Worüber werden sich die Leute denn wundern im Dezember?»

Und der Lorenz sagt: «Wenn man ihnen die Rheumadecke wegzieht, werden die Berge zu zittern anfangen, damit ihnen wieder warm wird. Nicht merkbar, nicht so, daß man es merkt. Nur die Staumauern werden es spüren. Die Limbergsperre und die Drossensperre. Und die Moosersperre. Eineinhalb Millionen Kubikmeter Beton. Das Symbol der Republik. Unsprengbar. Wenn die Berge zu zittern anfangen, werden die Staumauern natürlich aus ihrer Verankerung brechen. Die Wassermassen werden das Zeller Becken meterhoch überfluten, und zwanzigtausend Menschen werden darin ertrinken. Denn es wird so schnell gehen, daß sie nicht mehr zum Denken kommen.»

Der Lorenz hat jetzt bei der Kellnerin noch ein Viertel Sodawasser bestellt, obwohl das Glas vor ihm noch halb voll gewesen ist. Und wie die Erni wieder weg ist, sagt der Brenner:

«Und das wird schon diesen Dezember passieren?»

Der Lorenz sagt: «Nein, nein. Im Dezember führen wir unser Theater auf. Der Andi und die Deutsche. Und die Clare.»

«Und Sie.»

«Und ich.»

7

Mit dem Sonntagabend ist es so eine Sache. Ist nicht immer leicht für die Leute, daß sie den Sonntagabend aushalten. Dem Brenner ist es da nicht viel anders gegangen. Zwei Tage nachdem er sich mit dem Lorenz hier getroffen hat, ist er schon wieder im *Feinschmeck* gesessen. Aber ihm ist vorgekommen, daß er immer noch dasitzt, und jetzt hat er sich endlich auf den Weg gemacht.

Wie der Brenner aus dem *Feinschmeck* herauskommt, da kommt ihm Zell so verlassen vor wie überhaupt noch nie. Jetzt ist aber noch was anderes dazugekommen. Weil was der Sonntagabend, sagen wir, für den Lauf der Woche ist, das ist der Saisonschluß für den Lauf eines Jahres. Jedenfalls in Zell ist das so. Punkto Ausgestorbenheit. Und wie der Detektiv Brenner jetzt auf die Straße tritt, bemerkt er, noch bevor der automatische Türschließer die Tür des *Feinschmeck* ganz zugezogen hat: Saisonschluß und Sonntagabend zugleich.

Mehr brauchst du nicht. Der Brenner hat den Kirchplatz überquert, auf dem wimmelt es normalerweise nur so von Touristen. Aber jetzt, nicht ein einziger Tourist auf dem Kirchplatz. Nur ein paar alte Frauen hat er gesehen, wie sie schnell in die Kirche gehuscht sind. Und weil jetzt Saisonschluß und Sonntagabend gleichzeitig gewesen ist, ist er einfach hinter ihnen her in die Kirche gegangen.

Oder ist es auch gewesen wegen der Sache, die ihm der Lorenz vor zwei Tagen erzählt hat. Genau dasselbe, was ihm der Andi erzählt hat. Daß sie ein Heimattheater einproben. Daß sie es im Dezember aufführen werden. Daß er auch in der Mordnacht mit dem Andi an dem Heimattheater gearbeitet hat. Daß er deshalb nicht wirklich beim Vergolder war. Sondern daß nur das Theater vom Vergolder handelt. Und wie sich die Leute wundern werden, wenn sie im Dezember das Theater aufführen. Der Lorenz und der Andi. Und die Deutsche praktisch Regisseur.

Und dann noch dieses Mädchen, das der Lorenz erwähnt hat. Clare Corrigan, das ist gar nicht der ihr richtiger Name gewesen, die hat sich einfach so genannt. Dem Brenner ist sie schon öfter in Zell aufgefallen. Weil du darfst eines nicht vergessen. In einer großen Stadt regt sich heutzutage kein Mensch auf, wenn sich ein Jugendlicher provokant benimmt. Aber in einer Kleinstadt wieder ganz eine andere Sache. Jetzt ist die Clare mit ihrem lackierten Schneidezahn in Zell natürlich nicht zu übersehen gewesen.

Aber so ist es in der Provinz, hat sich der Brenner gedacht. Entweder die Leute kümmern sich gar nicht um das moderne Zeug, das in den Städten so wichtig ist. Oder sie übertreiben es gleich. Bestellen sich die ungesündeste Mode, die im Quelle-Katalog nur zu finden ist. Und fertig ist die Nierenbeckenentzündung. Er hat das von seiner Jugend in Puntigam gut gekannt. Da hat nur der Jimi Hendrix einmal im Fernsehen sein müssen. Und am nächsten Morgen hat die Polizei garantiert einen Rauschgifttoten im Bahnhofsklo gefunden.

In der Kirche ist der Brenner ins Sinnieren gekommen. In den letzten zwanzig Jahren ist er nicht öfter als zwei- oder dreimal in der Kirche gewesen. Er hat sich jetzt an die erste Hochzeit seiner Schwester erinnert, die hat einen Angeber geheiratet, der hat bei der Hochzeit einen weißen Anzug angehabt, natürlich bald Scheidung, was soll ich dir erzählen. Und dann vor zweieinhalb Jahren natürlich das Begräbnis seines Kollegen Schmeller, der ist bei einem Bankraub in, in, in, wo ist das jetzt gewesen, da ist er ums Leben gekommen. Und zwar durch einen Halsschuß, aber das ist ein saublöder Zufall gewesen, da haben beide Pech gehabt, der Schmeller und der Bankräuber, weil der hat in die Luft schießen wollen, das war klar.

Der Tunzinger ist bei dem Einsatz in Oberndorf dabeigewesen, ja, siehst du, Raiffeisenkasse Oberndorf, da ist das gewesen. Und er hat dem Brenner beim Seelengottesdienst für den Schmeller zugeflüstert, daß es ein Versehen gewesen ist. Aber natürlich – vor dem Richter hat er den Mund gehalten. Da gibt es nichts, Polizistenmord, was anderes hat da natürlich keiner hören wollen.

Das ist, wie gesagt, vor zweieinhalb Jahren gewesen. Aber daß dem Brenner jetzt die Zeremonie in der Zeller Kirche so vertraut vorgekommen ist, weil der hätte fast jeden Handgriff des Pfarrers voraussagen können, das hat nichts mit dem Schmeller-Begräbnis zu tun gehabt. Sondern weil er als Bub Ministrant gewesen ist. Der Brenner hat in der Volksschulzeit in Puntigam immer fleißig ministriert, oft einmal jeden Tag, und von daher hat er sich natürlich noch an alles erinnert, weil in der Kirche ändern sich die Dinge ja nicht jede Saison.

Auch der Mesner ist in Zell genauso ein dürres, altersloses Männlein gewesen wie in Puntigam. Und genau wie in Puntigam ist er kurz vor Meßbeginn geräuschlos durch den Altarraum geschwebt, damit er die Kerzen anzündet. Da hat sich überhaupt nichts geändert, technische Revolution hin oder her, das hat der Zeller Mesner genau gleich gemacht wie vor bald vierzig Jahren der Mesner von Puntigam. Eine zwei Meter lange Stange, an der Spitze ein Docht, damit er überall hinkommt, und neben dem Docht so ein Eisenhütchen, also kegelförmig, und mit dem hat er nach der Messe die Kerzen wieder ausgelöscht.

Jetzt hat es ja Neuerungen gegeben, sagen wir sechziger Jahre, also beim Johannes, das ist der Papst damals gewesen, der dreiundzwanzigste, und der hat ja viele so Neuerungen gebracht damals, Mordskonzil. Aber da hat man in Zell dreißig Jahre später immer noch nicht viel davon gemerkt. Frauen zum Beispiel. Früher ist das ja so gewesen, daß alle Frauen links sitzen und die Männer rechts. Wie der Brenner als kleiner Bub Ministrant war, ist das noch ganz normal gewesen. In Zell ist das aber immer noch mehr oder weniger normal gewesen.

Zumindest auf der Frauenseite, da hat der Brenner nicht einen Mann gesehen. Umgekehrt die Männerseite, die ist überhaupt fast leer gewesen. Ein paar Buben und zwei, drei alte Männer, sonst nichts. Der Brenner ist hinten beim Eingang stehengeblieben, so wie es früher die Männer gern getan haben, weil die haben sich dann während der Predigt ins Wirtshaus davongeschlichen.

Aber wie dann die Messe angefangen hat, hat sich der Brenner in die hinterste, völlig leere Männerbank gekniet. Ihm ist noch aufgefallen, daß die Ministranten zwei Mädchen waren, also eigentlich gegen die Vorschrift, und daß der Priester, flankiert von den zwei Ministrantinnen, viel zu schnell aus der Sakristei herausgekommen ist. Das ist mehr so ein kleiner, quirliger Typ, der Zeller Pfarrer, und es hat wirklich ausgeschaut, also der ist mehr oder weniger aus der Sakristei herausgelaufen, daß du geglaubt hast, du hörst das Meßgewand rauschen, aber der hat das immer so gemacht.

Die Meßbesucher erheben sich, aber der Brenner steht nicht auf, sondern im Gegenteil, er duckt sich richtig in seine Bank hinein. Vielleicht kennst du das: halb sitzen, halb knien und den Kopf in den Händen vergraben. Und gleichzeitig natürlich mit dem Kopf ganz woanders, nur nicht in der Kirche.

Monatelang hat er alles gesammelt, die belanglosesten Fakten, alles gesammelt mit einer Gewissenhaftigkeit. Und jetzt hat er zum erstenmal etwas richtig Handfestes gehabt. Hat der Brenner auf einmal das falsche Alibi vom Vergolder mehr oder weniger in der Hand. Möchte man glauben, ein Erfolg. Aber nein, alles im Brenner wehrt sich dagegen, daß er das zu wichtig nimmt.

Vielleicht ist es der Kerzengeruch in der Kirche gewesen, der Weihrauch. Und die Gebete, die die Meßbesucher im

Chor heruntergesagt haben, und die Heiligenbilder und die Kirchenbücher, und wie die Stimme des Pfarrers aus den schlechten Kirchenlautsprechern hallt. Da kann man ja sagen, was man will, aber das hat schon einen gewissen Dings. Vielleicht ist es daran gelegen, daß der Brenner jetzt mehr oder weniger einen Moralischen kriegt.

Jetzt nicht, daß du mich falsch verstehst, weil heute immer so viel über die Methode geredet wird. Dem Brenner seine Methode ist es natürlich gewesen, daß er sich den ganzen Kleinigkeiten gewidmet hat, also daß er da keine Unterschiede gemacht hat, quasi wichtig oder un-. Aber das ist ja nicht richtig eine Methode gewesen. Das war ja nur, weil der Brenner einfach so gewesen ist und gar nicht anders gekonnt hätte.

Und wie er jetzt merkt, daß es ihm gar nicht richtig paßt, daß er auf einmal so ein riesiges Indiz serviert bekommt, da ist der Brenner mit sich ins Gericht gegangen, daß du geglaubt hast, Altes Testament.

Ist das nicht immer schon sein größter Fehler gewesen? Hat er sich nicht deshalb so verrannt mit seinem Leben? Immer alles viel zu kompliziert. Immer alles weiß Gott wie weit hergeholt. Nie wie ein normaler Mensch einfach das Naheliegende.

«Sex und noch einmal Sex!» hat jetzt der Pfarrer ins Mikrofon gesagt, weil der Zeller Pfarrer hat gern über solche Themen gepredigt, und der Brenner ist kurz aufgeschreckt und hat sich gewundert, daß der Pfarrer jetzt schon bei der Predigt war, praktisch eine halbe Stunde vorbei, und er hätte geglaubt, fünf Minuten.

Wie er so dagelungert ist, mit dem Kopf in den Händen, hättest du glauben können, ein richtiger Gläubiger, also beten oder büßen. Und irgendwie ist es ja auch so gewesen. Es ist ja nicht wirklich der Fall der beiden Amerikaner gewesen, der ihn beschäftigt hat, sondern sein eigener Fall. Seine eigene Unfähigkeit. Daß er immer so unfähig ist, das Wesentliche vom Unwesentlichen zu unterscheiden.

«Heute beten die Leute den Sex an.»

Früher hat er geglaubt, das ist vielleicht ein Vorzug. Quasi nicht so viele Vorurteile. Bis er dann gemerkt hat, daß ihn das ganz ding macht. Lebensuntüchtig. Da ist es schon mehr oder weniger zu spät gewesen. Wie er gemerkt hat, daß Menschen wie der Nemec überhaupt nicht an der Wahrheit interessiert sind.

«Schon im Kindergarten reden die Tanten über Sex.»

Menschen wie der Nemec suchen nur Lösungen, hat sich der Brenner gedacht. Und oft genug finden sie ja irgendeine Lösung. Das hat sich der Brenner nicht zum erstenmal gedacht. Aber dieses Mal ist er nicht mit dem Nemec, sondern mit sich selbst ins Gericht gegangen. Weil sich alles in ihm so gewehrt hat, an den Vergolder auch nur zu denken.

Dann hat er die Kirchenbänke knarren gehört, und da hat er gewußt, daß die Predigt vorbei ist. Die Gläubigen haben sich zum Glaubensbekenntnis erhoben, weil das hat er immer noch gewußt, daß nach der Predigt das Glaubensbekenntnis kommt, so was vergißt du ja nicht. Er selber ist aber immer noch in seiner Büßerhaltung geblieben, irgendwie ist es ihm gemütlich vorgekommen. Kalt war es ja auch in der Kirche, draußen noch warm, aber innen schon saukalt, und wenn du so zusammengekrümmt kauerst, ist natürlich wärmer.

«Ich glaube an Gott», stimmt der Pfarrer an, und dann auch die Gläubigen im Chor:

«den Vater, den Allmächtigen,
den Schöpfer des Himmels und der Erde,
und an Jesus Christus,
seinen eingeborenen Sohn, unsern Herrn.»

Viele Gläubige sind es nicht gewesen, nur ein erbärmliches Häuflein, das mit alten, verbrauchten Stimmen das Gebet heruntergeratscht hat:

«Ich glaube an den Heiligen Geist,
die heilige katholische Kirche,
Gemeinschaft der Heiligen,

Vergebung der Sünden,
Auferstehung der Toten
und das ewige Leben. Amen.»

Und dann natürlich ist es dem Brenner wieder so gegangen. Aus der Pubertät hat er das gekannt, aber daß es jetzt immer noch so ist. Das soll jetzt nicht irgendwie ding klingen. Aber jetzt hat ihn wieder diese unglaubliche Geilheit erfaßt. Genau so, wie es ihm früher immer gegangen ist, kaum daß er eine Kirche von innen gesehen hat.

Damals hat er geglaubt, es hängt damit zusammen, daß er in die Messe gehen muß, quasi mit dem Zwang. Aber jetzt trotzdem, obwohl er freiwillig da ist. Oder manchmal hat er auch geglaubt, es hängt mehr mit dem Körper zusammen, Beengtheit, unnatürliche Bewegungslosigkeit, weil in so einer Kirchenbank kniest du ja drinnen wie in einem Schraubstock. Oder er hat es sich mehr psychisch gedacht, quasi die Kirche will den Sex unterdrücken, jetzt wehrt sich die Natur.

Jedenfalls, jetzt ist es wieder soweit gewesen. Dreißig Jahre später, und nicht die geringste Veränderung, das hat der Brenner nicht recht glauben wollen, aber es war so. Kaum daß der Pfarrer mit der Wandlung anfängt. Und wie dann direkt bei der Wandlung die linke Ministrantin mit ihrer Handglocke schellt, das ist gewesen wie bei diesen Hundeexperimenten, ich weiß nicht, ob du das schon einmal gehört hast, da klingelt es immer, wenn der Hund eine Wurst kriegt, und bald ist es soweit, da genügt das Klingeln allein, und dem Hund rinnt schon das Wasser im Mund zusammen. Russische Hunde sind das gewesen.

Und in dem Moment, wo die Ministrantin klingelt und der Pfarrer den Kelch in die Höhe hebt, taucht vor dem Brenner, praktisch geistiges Auge, die junge Lehrerin Kati Engljähringer auf.

Jetzt mußt du wissen, damit du nicht weiß Gott was über den Brenner denkst, daß der immerhin schon ein Dreivierteljahr in Zell allein gelebt hat. Ein Mann im besten Alter, wie man so sagt. Und das mit der Betty, mit der amerikanischen Versicherungsbeamtin, das ist auch schon wieder ein paar Wochen hergewesen.

Außerdem, es hat ihn selber gewundert, aber aus irgendeinem Grund hat er die Betty nie so richtig begehrt. Vielleicht nur, weil es alles zu einfach war, mit den Zimmern nebeneinander. Und wenn er ehrlich war, so richtig gefreut hat es ihn erst im nachhinein, wie er bemerkt hat, daß der Journalist Mandl hinter ihr hergewesen wäre.

«Dies ist mein Leib», hat der Pfarrer jetzt gesagt, und vielleicht ist es auch seine Sex-Predigt gewesen, daß der Brenner jetzt an nichts anderes mehr denken hat können. Auf einmal ist ihm die Engljähringer als die hübscheste Frau vorgekommen, die er in seinem ganzen Leben gesehen hat. Aber unter uns gesagt: Das hat er fast bei jeder Frau gedacht, wenn sie nur dunkelbraune Haare, aber eine milchweiße Haut gehabt hat, so eine durchsichtige, daß man die Sommersprossen nicht sieht, höchstens aus zwei Zentimetern Entfernung.

Aber vielleicht ist es auch nur gewesen, weil der Brenner mit seinen Ermittlungen in diese Zwickmühle geraten ist. Daß er nicht gewußt hat, was er mit dem falschen Alibi des Vergolders anfangen soll. Vielleicht war das der Grund, daß es dem Brenner gegangen ist wie einem Fünfzehnjährigen, also, wenn dich das Leben so richtig aufreibt mit seinem Durcheinander. Und da ist ihm eben die warme weiße Haut der Lehrerin Kati Engljähringer eingefallen. Die hat zuerst ihr Probejahr hier gemacht, und dann ist sie hängengeblieben, oder die Schulbehörde hat sie nicht mehr weggelassen, so um die 27 muß die jetzt auch schon gewesen sein.

Gleich neben dem Kircheneingang sind zwei Telefonzellen, und da hat er sich jetzt die Nummer von der Kati Engljähringer herausgesucht. Dann hat er sich fast nicht wählen getraut, aber dann hat er doch gewählt. Froh ist er nur gewesen, daß ihm der Lorenz diesen Vorwand geliefert hat.

Wie gesagt, er ist ein bißchen feig gewesen in dieser Hinsicht, flaues Gefühl im Magen, wie er es zum erstenmal läuten hört.

«Kati.»

Ihre Stimme hat so vertraulich geklungen, daß der Brenner gleich gefürchtet hat, sie wartet eigentlich auf einen anderen Anruf.

«Brenner. Ich bin als Privatdetektiv mit dem Fall Parson beschäftigt.»

Jetzt, normalerweise erwartest du irgendeine Reaktion. Aber manche Leute haben einfach diese unmögliche Angewohnheit. Sie schweigen am Telefon genau so, wie wenn du dich mit ihnen von Angesicht zu Angesicht unterhalten würdest, als wenn das dasselbe wäre. Jetzt ist der Brenner natürlich hektisch geworden, und er hat auch gleich bemerkt, wie seine Stimme im Weiterreden nervös klingt:

«Ich hätte ein paar Fragen zu einer Schülerin. Ich kann es Ihnen jetzt nicht im Detail erklären. Ich habe Hinweise erhalten auf eine Schülerin von Ihnen. Sie könnten mir vielleicht weiterhelfen. Es betrifft nicht die Schülerin selbst. Es ist nur – es wäre gut, wenn ich mich mit jemandem über sie unterhalten kann.»

«Welche Schülerin denn?»

«Clare Corrigan. Ich glaube, eigentlich heißt sie anders.»

«Ja, die Elfi. Das ist aber keine Schülerin von mir.»

«Aha.»

Jetzt hat er nur noch gehofft, daß sie es nicht gehört hat. Die Enttäuschung in seiner Stimme. Er hat durch das Zellenfenster auf den Kirchplatz hinausgeschaut. Sonntag abend ist gewesen. Saisonschluß. Dieses Mal ist die Gesprächspause auf seine Kosten gegangen. Aber wie er gerade das Gespräch beenden will, sagt sie:

«Letztes Jahr habe ich sie ja in Deutsch gehabt. Vielleicht kann ich Ihnen behilflich sein. Kommen Sie doch einfach vorbei.»

«Sie meinen – jetzt gleich?»

«Wenn Sie Zeit haben.»

Die Lehrerin hat in einer Garçonnière zwischen der Schüttdorfer Straße und dem See gewohnt. Das ist den See entlang nur gut zehn Minuten von der Kirche. Der See und die Luft und alles ist jetzt so unbeweglich gewesen, daß du geglaubt hast, die Sonntagabendstimmung hat sogar das Wetter angesteckt.

Nur der Brenner, der ist natürlich jetzt genau das Gegenteil gewesen. Stimmung praktisch Euphorie.

«Ich hab gar nicht gewußt, daß Sie Doktor sind», sagt er, wie sie ihm die Wohnungstür öffnet, weil auf der Klingel ist «Dr. Engljähringer» gestanden.

Ihr Lächeln ist ihm unter die Haut gegangen, ja, was glaubst du. Ein dunkelrotes Strickkleid hat sie angehabt, aber das hat schon einen halben Meter über den Knien aufgehört. Jetzt hat der Brenner aufpassen müssen, daß er nicht laut zu schnaufen anfängt.

«Nehmen Sie doch Platz», sagt die Engljähringer und zeigt auf die Eckcouch, von der aus man aber nicht auf den See, sondern auf die Schüttdorfer Straße hinaussieht. Die Schallschutzfenster sind dringend notwendig gewesen, weil da wird der Durchzugsverkehr einfach nie weniger, nicht einmal am Sonntag abend.

Auf dem Couchtisch ist schon ein Schulheft gelegen, und der Brenner hat auf dem Namensschild gelesen:

«Elfi Lohninger. Deutsch. 6a Klasse.»

Die Engljähringer sagt: «Sie wissen ja, daß die Clare Corrigan in Wirklichkeit Elfi Lohninger heißt.»

«Wie?»

Brenners Gedanken sind in Wahrheit ganz woanders gewesen. Er hat ja das Schulheft nur angeschaut, damit er nicht dauernd das rote Strickkleid angafft.

«Ja – ach so», sagt der Brenner jetzt. Das ist auch wahr gewesen. Eigentlich hat er es schon gewußt. Aber hat die

Lehrerin Engljähringer denn wirklich geglaubt, daß er deswegen gekommen ist?

«Möchten Sie was trinken?»

«Trinken Sie was?»

«Wenn Sie was trinken.»

Die Lehrerin hat nur einen Amaretto gehabt. Jetzt mußt du wissen, daß ihm seine Großmutter in Puntigam immer diese Geschichte mit den süßen Schnäpsen erzählt hat. Nämlich, wie es dazu gekommen ist, daß sie ein lediges Kind auf die Welt gebracht hat. Das ist dann Brenners Mutter gewesen. Weil ihr nämlich der Schreinermeister ein paar süße Schnäpse. Quasi verabreicht. Das ist dem Brenner jetzt natürlich als ein gutes Zeichen vorgekommen, ein guter Anfang. Und Musik hat sie auch gehabt, die Lehrerin Engljähringer. Adriano Celentano. Greatest Hits.

Aber natürlich, muß auch nichts heißen. Vielleicht liebt sie einfach Italien, da sind sie ja alle gleich. Hat sogar ein bißchen ausgesehen wie eine Italienerin. Dunkle Haare, helle Haut. Durchsichtige Sommersprossen.

Die Lehrerin hat ihm eine gute Stunde lang mehr oder weniger interessante Geschichten über die Elfi erzählt, also die Clare. Mehr oder weniger interessant, weil der Brenner hat nicht genau gewußt, wie interessant. Er hat ja die meiste Zeit gar nicht richtig zugehört. Schon auf ihren Mund geschaut, wie sie geredet hat, aber wie gesagt.

Kurz vor acht ist der Brenner zur Engljähringer gekommen. Und jetzt ist es schon neun vorbei gewesen. Draußen schon stockfinster.

«Trinken Sie noch ein Glas?» sagt die Lehrerin Engljähringer. Sie lächelt aufmunternd. Es ist aber jetzt schon sein drittes gewesen. Und ihr drittes. Vielleicht ein gutes Zeichen, hat sich der Brenner gedacht.

«Sie wissen ja, daß die Leute reden, die Clare sei, wie sagen sie hier doch so nett? Ein Nebenzu», sagt die Lehrerin.

«Ein Nebenzu?»

«Ein illegitimes Kind des Vergolders.»

Jetzt aber. Ein Nebenzu. Der Brenner hat sich nichts anmerken lassen. Nur daß er sich jetzt gleich selber einen Amaretto einschenkt:

«Der scheint ja überall –»

Jetzt hat er gemerkt, daß er schon eine ziemlich schwere Zunge hat. Weil er hat ja schon vorher im *Feinschmeck* ein Bier getrunken.

«Der scheint ja überall – hat der irgendwie seine Finger im Spiel.»

Neun Uhr sieben ist es gewesen. Der Brenner hat natürlich nicht auf seine Uhr geschaut. Weil womöglich fragt ihn dann die Engljähringer, ob er gehen möchte. Aber auf dem Videorecorder hinter der Engljähringer hat er gesehen, daß es neun Uhr sieben ist. Jetzt, in der nächsten Viertelstunde muß was passieren, so oder so.

Und ausgerechnet da hat ihn die Äußerung über den Vergolder aus dem Konzept gebracht. Hat er an den Vergolder denken müssen statt an die Engljähringer. Der hat ja überall seine Finger im Spiel, hat er denken müssen. Aber die Engljähringer muß es bemerkt haben, daß der Brenner ein Problem hat, weil sie hat ihn jetzt so nett angelächelt. Oder ist es dem Brenner auch nur wegen der vier oder fünf Amaretto-Schnäpse so vorgekommen.

«Sie könnten bei der Perlweiß-Reklame mittun», sagt er jetzt.

Aber kurz vorher hat man gehört, wie ein Auto vor dem Haus geparkt hat, und jetzt läutet es bei der Engljähringer an der Tür.

«Das ist nur mein Freund», sagt die Lehrerin Engljähringer. Sie hat dunkle Haare gehabt, eine weiße Haut mit durchsichtigen Sommersprossen und blaue Augen mit weißen Punkten drin, ungefähr wie in den bayrischen Tischdecken.

Nur ihr Freund.

Der Brenner hat das als schlechtes Zeichen gewertet. Und

auf einmal, wie die Engljähringer in den Vorraum hinausgeht, um ihren Freund hereinzulassen, bekommt der Brenner eine richtig panische Angst. Vielleicht ist es auch von den Amaretto-Schnäpsen gekommen. Fürchtet der Brenner auf einmal, daß das der Vergolder ist. Daß sich der auch noch als der Liebhaber von der Engljähringer herausstellt.

Etwas Schlimmeres hat sich der Brenner in dem Moment überhaupt nicht vorstellen können. Aber es ist dann doch noch schlimmer gekommen.

Er hat schon die Stimme des Freundes gehört, aber er hat sie nicht erkannt. Und dann hat er gehört, wie ihm die Lehrerin einen Begrüßungskuß gibt. Und dann ist er hereingekommen. Und dann ist es der Lokalreporter Mandl gewesen. Aber der Brenner hat sich mit aller Gewalt beherrscht, daß er nicht vor Wut laut schnaufen muß.

8

Während der Brenner am nächsten Morgen die schmale Bergstraße zum Vergolder hinaufgeht, ist er mit den Gedanken immer noch beim Mandl: Wie ihm dem Mandl seine Krawatte noch grüner vorgekommen ist als voriges Mal. Obwohl zu dem Zeitpunkt schon nur mehr zwei Kerzen im Wohnzimmer von der Engljähringer gebrannt haben. Und das muß mit dem roten Kopf vom Mandl zusammengehängt sein, weil Rot und Grün, das ist natürlich ein schöner Kontrast.

«Du hast hier nichts zu suchen!» hat der Mandl geschrien.

Und der Brenner sagt leise: «Ich suche überall, Mandl.»

«Du suchst überall. Aber du findest nichts.»

«Weißt du, was ich finde? Daß du den Mund halten sollst.»

«Ah, den Mund. Schon wieder einmal den Mund halten. Sag dem Vergolder einen schönen Gruß, daß ich die längste Zeit den Mund gehalten habe. Wieso du bei der Kripo hinausgeflogen bist.»

Die Lehrerin hat sich bemüht, quasi um Schadensbegrenzung. Sie hat versucht, den Mandl zu beruhigen. Aber da ist es schon heraußen gewesen. Und jetzt, auf dem Weg zum Vergolder, hat der Brenner sich immer noch keinen richtigen Reim darauf machen können.

Wieso soll der Vergolder ihn in Schutz nehmen? Und wieso soll die *Pinzgauer Post* nicht darüber schreiben, daß die Polizei den Vergolder verdächtigt hat. Das müßte dem Vergolder doch nur eine Genugtuung sein. Und überhaupt, das ist ja nicht dem Brenner seine Idee gewesen, das ist ja dem Nemec sein Ding gewesen mit dem Verdacht auf den Vergolder.

Das letzte Stück, bevor du zum Vergolder hinaufkommst,

geht es so steil, daß der Brenner ein paarmal stehengeblieben ist. 12. September, und in der Früh schon so warm, daß du gleich schwitzt.

Und der Brenner hat es überhaupt nicht gemocht, wenn er sich am Morgen anstrengen muß. Weil dem seine Zeit hat erst so richtig am Nachmittag angefangen. Zwei, drei Uhr, das ist dem Brenner seine Zeit gewesen. Aber jetzt, wie er auf dem Parkplatz vor dem Vergolder-Schloß ankommt, hat er auf die Uhr geschaut, und da ist es ihm momentan ein bißchen unheimlich vorgekommen. Weil sieben nach neun. Da ist es praktisch auf die Minute genau zwölf Stunden hergewesen, daß der Mandl im Wohnzimmer von der Engljähringer aufgetaucht ist.

Aber heute ist es nicht der Mandl gewesen, sondern der Brenner, der unangemeldet an einer Haustür läutet. Und, sagen wir, wenn sich der Mandl zwölf Stunden vorher gewundert hat, dann hat sich der Brenner jetzt auch nicht schlecht gewundert. Der hat es gar nicht ganz glauben wollen, daß der Vergolder selbst seine Haustür aufmacht.

Du mußt dir vorstellen, das hat ja ausgeschaut, prächtiger Herrschaftssitz, wenn da ein richtiger Butler in der Tür gestanden wäre, das hätte den Brenner noch weniger gewundert. Oder sagen wir, wenigstens ein Hausmädchen. Aber so, steht einfach der Vergolder selber da, blauer Jogginganzug, und sagt:

«Grüß Gott!»

«Ich hätte vielleicht vorher anrufen sollen», sagt der Brenner. Plötzlich hat ihn ein schlechtes Gewissen gepackt, weil der Vergolder so freundlich gewesen ist.

«Ich steh ja nicht im Telefonbuch», sagt der Vergolder. Und jetzt schaut er dem Brenner tief in die Augen. Weil der Vergolder, das ist so ein Typ gewesen, wie soll ich dir das jetzt erklären. Der hat einen gern angeschaut, daß du glaubst, jetzt kommt dem Vergolder seine tiefste Lebensweisheit. Und genau so hat er jetzt den Brenner fixiert, sagen wir, wie ein Jugendtrainer beim Fußball, der zu seinen Miniknaben sagt: «Und eines dürft ihr nie vergessen!»

Und nach ein paar Sekunden sagt der Vergolder:

«Ob Sie es glauben oder nicht. Zweihundertsiebzehn Schilling kostet das, damit du nicht im Telefonbuch stehst.»

Der Brenner hat momentan nicht gewußt, was er darauf sagen soll, aber da hat sich der Vergolder schon wieder halb umgedreht, und jetzt hat er ganz normal gesagt, also nicht so gütig, nicht mit diesem gütigen Blick wie ein Jugendtrainer, sondern ganz normal:

«Ehrlich gesagt, hab ich Ihren Besuch schon erwartet.»

Dem Brenner sind aber jetzt dem Vergolder seine Augen nicht mehr aus dem Sinn gegangen.

Dabei hat er schon als Polizist zweimal mit dem Vergolder zu tun gehabt, und eigentlich hat der Vergolder ausgesehen wie immer. Aber genau das ist es ja gewesen. Es war nicht etwas Fremdes, das den Brenner irritiert hat, sondern etwas Vertrautes in seinem Gesicht.

Vielleicht eine unmerkliche Ähnlichkeit mit seinem Neffen Lorenz. Aber wie soll das gehen, zwei unterschiedlichere Typen hast du dir ja fast nicht vorstellen können. Auf der einen Seite der Vergolder, der mit siebzig immer noch vor Kraft und Unternehmergeist gestrotzt hat. Seine schneeweißen Haare, sein braungebranntes Skilehrergesicht und seine zusammengekniffenen Millionärsaugen. Auf der anderen Seite der um eine Generation jüngere Lorenz mit seinen resignierten Greisenaugen.

Und dann das Haus. Wenn man zu so etwas überhaupt noch Haus sagen kann. Das Schloß eben, ein paar hundert Meter über dem See, und von hier aus hast du den ganzen Zeller See und die ganze Stadt gesehen.

Aber innen, wie soll ich sagen, bist du fast enttäuscht gewesen. Hättest du dir von außen mehr erwartet. Die haben das Schloß so hersaniert, daß du geglaubt hast, du bist in einer Buwog-Wohnung. Und vielleicht ist es dem Vergolder am Ende selber aufgefallen. Weil der Brenner hat jetzt gedacht, vielleicht hat er deshalb so viele alte Möbel hineingestopft, damit es vor lauter Sanieren nicht ausschaut wie in einer Buwog-Wohnung. Weil wohin er geschaut hat, hat der Brenner einen Haufen Antikmöbel gesehen.

Und wie ihn der Vergolder weiter in das Schloß hineinführt, sind es immer noch mehr Antikmöbel geworden. Dem Brenner ist es schon fast zuviel geworden. Der hat dazuschauen müssen, daß er dem Vergolder überhaupt nachkommt, weil überall, wo er hingestiegen ist, ist eine Madonna gestanden oder ein Heiliger, hat er aufpassen müssen, daß er nicht einen zusammensteigt.

Jetzt mußt du wissen, daß der Brenner einen furchtbar schlechten Orientierungssinn hat. Und das nach zwanzig Jahren Polizei. Da möchte man meinen, das lernt man, aber nichts zu machen. Der hat schon normal nach zwei Kurven nicht mehr gewußt, wo er ist, also Himmelsrichtungen ganz zu schweigen. Und wie ihn da der Vergolder durch ein paar Gänge und über zwei, drei Stiegen voller Antiquitäten schleppt, verliert er natürlich sofort die Orientierung.

Aber dann hat er gleich wieder gewußt, wo er ist. Weil das Wohnzimmer hat ein Fenster gehabt, das war allein so groß wie eine ganze Buwog-Wohnung. Und da hat der Detektiv den Zeller See und überhaupt ganz Zell unter sich gesehen, also prächtig, das muß man schon zugeben.

Und da hat er sich gleich wieder ausgekannt. Auf der anderen Seite sieht er den Glockner, die Stauseen selber nicht, aber direkt neben der Moosersperre sieht er etwas in der Sonne blitzen, und das ist die Seilbahnstation Heidnische Kirche gewesen.

«Setzen Sie sich doch!» sagt der Vergolder.

Aber auch das Wohnzimmer, oder sagen wir, der Wohnsaal, ist vollkommen mit Antikmöbeln vollgestopft gewesen. Und deshalb hat der Brenner erst recht wieder nicht gewußt, wo soll ich mich jetzt hinsetzen.

Statt dessen geht er zum Fenster, dreht dem Vergolder den Rücken zu, weil er aus dem Fenster schaut. Vielleicht nur, damit er nicht dauernd den Haufen Antikmöbel anschauen muß, der ihm richtiggehende Beklemmungen gemacht hat. Und während er aus dem Fenster schaut, sagt er:

«Mit dem falschen Alibi, das Sie der Polizei gegeben haben, haben Sie doch nicht sich selbst in Schutz nehmen wollen?»

«Setzen Sie sich doch!» sagt der Vergolder.

Aber der Brenner ist nicht darauf eingegangen, sondern hat immer noch aus dem Panoramafenster geschaut – wieso das Denkmalamt den Einbau erlaubt hat, frag mich bitte nicht. Er hat sich erst umgedreht, wie das Dienstmädchen den Tee hereinbringt. Ein schmächtiges, vielleicht sechzehnjähriges Mädchen, das er in Zell schon ein paarmal gesehen hat. Jetzt, solange das Dienstmädchen herinnen gewesen ist, hat der Vergolder einen harmlosen Ton angeschlagen:

«Eine tragische Geschichte, der Tod meiner Schwiegereltern. Aber wissen Sie, womit ich mich tröste? Sie haben sich beim Schifahren kennengelernt. 1929 beim Schiurlaub in Vermont. Und sie sind im Schilift gemeinsam gestorben. Und ich denke mir dann: Vielleicht hat es so sein sollen, damit tröste ich mich dann.»

Der Vergolder hat sich eine Zigarette angezündet, und da hat sich der Brenner gedacht, interessant, seit ich es mir abgewöhnt habe, habe ich nur mehr mit Leuten zu tun, die ununterbrochen rauchen. Er hat darauf gewartet, daß der Vergolder zu der Anschuldigung etwas sagt. Aber der hat, sobald das Mädchen draußen war, nur wieder seinen Jugendtrainerblick aufgesetzt und gesagt:

«Wieso sind Sie eigentlich nicht mehr bei der Kripo?»

Aber nicht, daß du jetzt glaubst, das ist eine Frage gewesen. Sondern das hat sich mehr wie eine Antwort angehört. Und das ist es natürlich auch gewesen. Weil der Vergolder hat ja genau gewußt, wieso der Brenner nicht mehr bei der Kripo gewesen ist. Genau so, wie der Brenner die Antwort auf seine eigene Frage schon gewußt hat, also wieso falsches Alibi.

In Wahrheit hat ja den Brenner jetzt eine ganz andere Frage beschäftigt. Der hat sich die ganze Zeit gefragt, was ihn an dem braungebrannten Millionärsgesicht so irritiert. Nicht etwas Fremdes, sondern etwas Vertrautes, vielleicht doch eine unmerkliche Ähnlichkeit mit seinem Neffen Lorenz.

«Ihr Alibi, die Geschichte mit dem Lorenz. Die haben Sie uns doch nicht aufgebunden, um sich zu schützen, sondern um den Lorenz zu schützen.»

Der Vergolder hat einen eigenartigen Blick gehabt, wie einer, der nur kurz seine Brille abgenommen hat und jetzt nicht viel sieht. Irgendwie ist dem Brenner vorgekommen, diese kurzsichtigen Augen passen nicht zu seinem Millionärsgesicht. Aber Augen, das ist die reinste Übertreibung. Nur Schlitze sind das gewesen, wenn du da die Augenfarbe erraten willst, keine Chance.

Und die ganze Zeit ist er sich so mit den Zeigefingern über die Lider gefahren, daß du geglaubt hast, todmüde. Er hat Tausende ganz feine Fältchen um die Augen gehabt, praktisch «Krähenfüße» heißt das. Das kennst du vielleicht von den Bergsteigern, wenn sie älter werden, oder von den alten Raucherinnen, die haben da gern so eine Oberlippenziehharmonika. Und da streicht er in einer Tour über seine Lider, daß du hättest glauben können, er will sich seine Faltenziehharmonika glattbügeln.

«Ich habe sie mir vor zwei Monaten operieren lassen. Wunderbare Sache. Seither brauch ich keine Brille mehr. Aber beim Schifahren soll es furchtbar blenden.»

«Sie haben immer schon gewußt, daß der Lorenz die Drohbriefe geschrieben hat. Schöne Grüße von der Heidnischen Kirche», sagt der Brenner.

«Sei mir nicht böse, Brenner», sagt der Vergolder. Der

ist es nämlich gewohnt gewesen, daß er zu jedem du sagen kann. Der Liftkaiser von Zell, der hat da nicht lange gefragt, darf ich du zu dir sagen.

«Das ist für keinen ein Geheimnis, was du da lüftest, Brenner», sagt der Vergolder, «das haben in Zell vom ersten Augenblick an alle gewußt. Daß so was nur meinem Lorenz einfallen kann.»

«Und Sie haben dafür gesorgt, daß es unter den Teppich gekehrt wird», sagt der Brenner.

«Was heißt Teppich», sagt der Vergolder. «Was soll ich denn machen? Werden uns ja die Touristen nervös. Mit der Staumauer über den Köpfen.»

«Also hat der Lorenz seine Drohung untermauern müssen. Mit ein paar Leichen im Schilift», sagt der Brenner.

«Genau so wäre es hingedreht worden. Von Dummköpfen wie dir, Brenner. Nur daß der Lorenz auf dieser Erde der allerletzte ist, der einen Menschen umbringen könnte. Der hört ja das Gras schreien, wenn man es mäht. Wenn der einen Mord begeht, bin ich freiwillig die Leiche!»

«Dann hätte er Ihr falsches Alibi ja gar nicht gebraucht. Das Sie ihm verschafft haben, indem er Ihnen ein Alibi geben hat müssen. Und Sie hätten ihn auch nicht so eilig aus der Nervenklinik holen brauchen, damit er mir nicht was Falsches erzählt. Und Sie hätten sich auch nicht bei der *Pinzgauer Post* einsetzen müssen, daß die Zeitung die ganze Sache schnell vergißt. Wenn Sie so überzeugt von seiner Unschuld sind.»

Der Vergolder stellt seine halbleere Teetasse auf das Silbertablett zurück und gießt sich frischen Tee ein. Dann schaut er vorwurfsvoll die volle Tasse vom Brenner an. Und dann schaut er den Brenner an, so wie vielleicht ein Jugendtrainer einen achtjährigen Stürmer anschaut, dem er vor dem Spiel Mut einimpfen will, und sagt:

«Warum setzt du dich nicht?»

«Ich stehe lieber», sagt der Brenner.

«Hast du Angst vor dem Sitzen?» sagt der Vergolder. «Hast du Angst davor, daß du aus deiner Buwog-Wohnung ausziehen mußt?»

«Sie wissen ja allerhand über mich», sagt der Brenner.

«Zum Beispiel, daß du mir den Mord an meinen Schwiegereltern hast anhängen wollen. Wenn da nicht der Nemec gewesen wäre. Hättest du mich womöglich noch ins Gefängnis gebracht.»

Das ist natürlich Unsinn gewesen. Es war ja der Nemec, der den Vergolder hat eintunken wollen. Und der Nemec ist es ja auch gewesen, der dem Brenner die Ermittlungen befohlen hat, damals.

Und erst wie nichts herausgekommen ist, hat es der Nemec auf den Brenner geschoben. Aber da ist das dem Brenner schon egal gewesen. Es ist dann nur noch der letzte Tropfen gewesen. Daß er sich gesagt hat, das hat keinen Sinn mehr, und daß er ihnen die Dienstmarke hingeschmissen hat. Obwohl, ich muß immer wieder sagen, wenn heute einer 44 ist, Hut ab vor so einem Dings.

Und das mit der Buwog-Wohnung. Da hat sich der Brenner jetzt wieder gedacht, vielleicht gibt es da eine Möglichkeit, daß sein Schulkollege Schwaighofer ihm ein oder zwei Jahre Aufschub herausschindet.

«Sie wissen ja gar nicht alles so genau, wie ich geglaubt habe», sagt der Brenner.

«Sie wissen ja nicht einmal, daß der Lorenz gar kein Alibi von Ihnen braucht, weil er auch so eines hat! Der Lorenz glaubt ja, er muß Ihretwegen lügen.»

«Um so besser», sagt der Vergolder.

«Sagen Sie doch endlich die Wahrheit. Es ist ja alles ein riesiges Mißverständnis. Der Lorenz glaubt, er muß Sie schützen, und Sie glauben, Sie müssen den Lorenz schützen.»

«Um so besser für mich und den Lorenz», sagt der Vergolder.

Aber dann hat er schnell nach dem Dienstmädchen geläutet. Sie hat den Gast hinausbegleitet, und da hat sich der Brenner überhaupt nicht mehr ausgekannt, weil es sind nur ein paar Schritte bis zur Haustür gewesen, und vorher ist er doch über ein paar Stiegen und Gänge hinter dem Vergolder hergegangen.

Jetzt ist er sich momentan vorgekommen wie in diesen Bildern, kennst du vielleicht, wo die Leute über eine Stiege hinaufgehen, immer hinauf, aber plötzlich sind sie wieder am Anfang, also, was es in Wirklichkeit nicht geben kann, weil sie ja dauernd hinaufgegangen sind, und plötzlich wieder unten. Da gibt es so einen Maler, das macht dich ganz nervös. Aber den Brenner hat es jetzt eher beruhigt, daß er den Vergolder bei dieser menschlichen Schwäche ertappt hat. Daß der ein Antiquitätenangeber gewesen ist und den Brenner durch das halbe Schloß geschleppt hat.

Das Dienstmädchen hat aber jetzt gemerkt, daß er sich nicht mehr richtig auskennt, und die hat unwillkürlich ein bißchen lächeln müssen. Jetzt hat die einen lackierten Schneidezahn gehabt. So eine Neonfarbe hat die draufgehabt auf einem von den Schneidezähnen. Jetzt natürlich hat der Brenner die Clare Corrigan sofort erkannt.

In Wahrheit hat sie Elfi Lohninger geheißen. Die Lehrerin Engljähringer hat ihm ja erzählt, daß sie die Schule abgebrochen hat. Und daß die Leute reden, daß sie ein «Nebenzu» vom Vergolder ist, das hat sie ihm auch erzählt. Aber daß die Clare jetzt beim Vergolder als Hausmädchen arbeitet, das hat sie ihm nicht erzählt.

Sie hat ihm nur das Schulheft mitgegeben. Aber dann ist der Mandl aufgetaucht und hat den Brenner auf den Vergolder gehußt. Und jetzt ist das Heft in seinem Zimmer beim *Hirschenwirt* gelegen, und er ist noch gar nicht dazu gekommen, daß er es gelesen hätte.

9

«6a Klasse» ist auf dem Heft draufgestanden. «Clare Corrigan». Aber der Name ist durchgestrichen gewesen, und mit einer anderen Schrift ist dann dagestanden: Lohninger Elfriede. Der letzte Aufsatz in dem Heft hat das Thema gehabt: Die Bedeutung unseres Stausees als Symbol der Republik.

Man hat den Aufsatz aber fast nicht mehr lesen können, weil der ist über und über rot korrigiert gewesen. Und am Ende ist gestanden:

«Nicht genügend!»

Und das ist jetzt dieselbe Schrift gewesen, die das «Lohninger Elfriede» auf den Umschlag geschrieben hat, nämlich der Engljähringer ihre Schrift.

«Thema verfehlt!» hat die Engljähringer noch hingeschrieben, aber für den Brenner ist es genau umgekehrt gewesen, für ihn ist natürlich das Thema genau richtig gewesen:

«Ich möchte etwas über eine Firma schreiben, die eine wichtige Rolle beim Bau der Mauer gespielt hat.»

So hat sie angefangen. Und gleich das erste Wort hat die Lehrerin Engljähringer rot unterwellt, das muß gewesen sein, weil man einen Aufsatz vielleicht nicht mit «Ich» anfängt, wie man es früher bei den Briefen gesagt hat. Aber den Brenner hat jetzt die rote Wellenlinie an die zerfurchte Stirnfalte vom Mandl erinnert, wie der den Brenner auf der Engljähringer ihrer Couch vorgefunden hat.

«Es ist eine amerikanische Chemiefirma. Sie hat den österreichischen Firmen das nötige Know-how geliefert, um den hochwertigen Beton für die drei Staumauern herzustellen.»

Die Lehrerin Engljähringer hat aber «Know-how» eingeklammert und «Fachwissen» darübergeschrieben.

«Ich möchte darüber schreiben, was diese Firma vorher in

Amerika gemacht hat. Vielleicht sollte ich schreiben, warum ich es weiß. Mein Vater hat damals die Tochter von dem Boß geheiratet. Ich stamme aber nicht aus dieser Ehe, sondern heimlich. Deshalb interessiert mich immer Heimliches mehr als das Offizielle, weil ich selber heimlich bin. Also schreibe ich lieber, was ich über die Firma weiß, weil über den Stausee, was soll man da sagen, außer daß er den Strom liefert.»

«Viel zu lange Einleitung!!!» hat die Lehrerin Engljähringer an den Rand dieser Passage geschrieben. Und sonst hat die Seite auch vor roten Markierungen nur so gewimmelt. Der Brenner hat es jetzt gar nicht glauben wollen, daß das ein und dieselbe Hand gewesen ist. Daß das die mit durchsichtigen Sommersprossen bis zu den Fingernägeln übersäte Engljähringer-Hand gewesen ist, die dieses Massaker angerichtet hat. Und gleich drei Rufzeichen hingedonnert mit einem roten Kugelschreiber.

«Mein Vater hat die Tochter vom Chef dieser amerikanischen Chemiefirma geheiratet. Ich glaube nicht, daß es etwas damit zu tun hatte, daß mein Vater Vergolder war und die Firma in Amerika Leuchtziffern herstellt. Aber paßt irgendwie, Gold und Leuchtziffern, finde ich, das eine glänzt am Tag, das andere in der Nacht. Und der Vater des Chefs, das ist der Firmengründer gewesen. Der hat 1910 in Amerika die Leuchtziffern erfunden. Er hieß Parson, und die Firma hieß Parson Radium, und die Leuchtfarbe, die ihn dann unbeschreiblich reich machte, hieß ‹Lightnight›.»

«Warum so weitschweifig?» hat sich der rote Kugelschreiber der Lehrerin Engljähringer gefragt, aber der Brenner hat sich jetzt nicht mehr ablenken lassen:

«Bald hatte der alte Parson 200 Leuchtziffernmalerinnen angestellt. Das war ungefähr 1915. Vor allem junge Frauen. Sie mußten ihre Pinsel immer ablecken, damit sie spitz genug wurden für die winzigen Uhrenziffern. Manchmal machten sich die Malerinnen den Spaß, ihre Fingernägel oder Zähne zu bemalen, weil sie dann im Dunkeln leuchteten. Leider sind sie dann der Reihe nach gestorben. Also hat es eine Untersuchung gegeben.»

Das ist jetzt die Stelle gewesen, wo das Telefon beim Brenner geläutet hat, in seinem Hotelzimmer, das muß so um zwei Uhr am Nachmittag gewesen sein. Aber er ist nicht hingegangen. Aber dann hat es nicht zu läuten aufgehört, und dann ist er doch hingegangen.

«Brenner.»

Aber genau in dem Moment hat der Anrufer schon aufgelegt gehabt.

«Trottl», hat der Brenner gebrummt, dann ist er schon wieder über dem Schulheft gesessen.

Zuerst hat er nicht gleich die richtige Stelle gefunden, und da hat er ein Stück zu weit unten weitergelesen. Und da hat er gelesen, daß man die Ergebnisse der Untersuchung geheimgehalten hat. Er hat aber jetzt nicht gewußt, von was für einem Ergebnis da die Rede ist, weil das ist ja in dem Absatz gestanden, den er ausgelassen hat. Aber natürlich ist er jetzt neugierig gewesen und hat oben weitergelesen:

«Also hat es eine Untersuchung gegeben. Die Untersuchung war geheim. Die Ärzte beobachteten die Arbeiterinnen in einem dunklen Raum. Da haben die Haare, Gesichter, Hände, Arme, Hälse, die Kleider und die Wäsche der Ziffernmalerinnen im Dunkeln geleuchtet. Sogar der Atem der Malerinnen leuchtete im Dunkeln.»

Jetzt ist der Brenner wieder zu der Stelle von vorher gekommen. Da fällt ihm auf, daß auf der zweiten Seite fast keine Korrektur mehr ist.

Da hat es natürlich zwei Möglichkeiten gegeben. Entweder ist die Engljähringer genauso interessiert an der Geschichte gewesen wie er selbst und hat beim Lesen völlig das Korrigieren vergessen. Oder es ist an der Stelle schon festgestanden, daß für die Clare diesmal nur ein Fünfer herausschaut, und die Engljähringer hat sich gedacht, Thema verfehlt, und wieso soll ich da noch lang herumkorrigieren.

«Parson hielt das Ergebnis der Untersuchung geheim. Die Arbeitsbedingungen für die Malerinnen blieben noch Jahre lang gleich. Bis es so viele Opfer gab, daß Parson vor Gericht mußte. Aber er wurde freigesprochen. Das war wegen der falschen Gesundheit der Opfer. Am Beginn der Verseuchung fühlte das Opfer sich nämlich besonders wohl. Das ist so, weil der Körper zur Abwehr besonders viele Blutkörperchen produziert. Rote wahrscheinlich. Und dann hört er plötzlich ganz damit auf. Deshalb blieb die Seuche jahrelang unbemerkt. Aber laut Gesetz müssen Klagen auf Wiedergutmachung spätestens zwei Jahre nach der Verursachung einer Krankheit eingebracht werden. Und die Seuche ist ja von ‹Lightnight› viel früher ausgelöst worden. Zum Beispiel am 16. November 1922 ging eine der Malerinnen in die Arbeit zur Leuchtziffernfabrik. Sie fühlte sich völlig gesund. Ihre Knochen waren aber schon so morsch, daß ein Bein im Gehen brach. Eine Woche später ist sie gestorben, da war sie 27 Jahre alt. Sie hieß Clare Corrigan.»

Jetzt aber. Die Lehrerin hat es endgültig aufgegeben, daß sie da noch viel korrigiert. Die hat die letzten zwei Seiten einfach, ratsch, verstehst du, von oben bis unten, also Diagonale, durchgestrichen. Das sind die Seiten gewesen, auf denen die Clare beschrieben hat, wie es mit der Firmengeschichte dann weitergegangen ist.

Zuerst einmal hat Parson eine ungefährliche Leuchtziffernherstellung entwickelt, dann Zweiter Weltkrieg, da hat er den Amerikanern für ihre Flugzeuge leuchtende Armaturen verkauft. Das ist natürlich ein Riesending gewesen, weil sonst hat das keiner liefern können. Millionen, ja, was glaubst du.

Und nach dem Krieg sofort umgesattelt, mehr auf Bauchemie, praktisch Baumaterialien. Weil die haben sich gedacht, nach dem Krieg, da bauen die Leute, und da haben sie sich auf hochwertige Betonmischungen spezialisiert.

Jetzt der Brenner ein Aha-Erlebnis. Weil was braucht man für eine Staumauer, einen hochwertigen Beton natürlich, und wo nehmen die Zeller gleich nach dem Krieg einen hochwertigen Beton her. Jetzt haben die Amerikaner den Zellern ein bißchen unter die Arme gegriffen. Aber das ist schon mehr der junge Parson gewesen, der das aufgezogen hat. Nicht weit von der Stelle entfernt, wo man ihn dann fünfzig Jahre später im Schilift gefunden hat.

Der Brenner hat das Gekritzel ein paarmal lesen müssen, bis er es sich nach und nach zusammenreimen kann. Und am längsten hat er für die letzten paar Sätze gebraucht. Weil die Clare hat nämlich ihr Schularbeitenheft buchstäblich ausgeschrieben, also voll bis auf die letzte Seite. Und dann ist sie aber immer noch nicht zu Ende gewesen. Jetzt hat sie den Schluß auf die Innenseite vom Umschlag geschrieben. Der Umschlag ist aber blau, jetzt hat die blau auf blau geschrieben:

«Parson expandierte nach Europa. Und Riesenauftrag in Zell, wo schon im Krieg Hunderte Kriegsgefangene am Stausee bauten (starben). Und jetzt schickten die Amerikaner ihre eigenen Kriegsgefangenen hinauf (Einheimische), auch reihenweise gestorben. Und 1951 das Symbol der Republik endlich fertig.»

Der Brenner hat noch ein paar Minuten zum See hinuntergestarrt, aber dann – auf einmal ist ihm das Zimmer zu eng geworden. Zieht er die Schuhe an und will zum See hinuntergehen. Aber wie er auf der Straße unten ist, geht er in die entgegengesetzte Richtung. Nicht zum See hinunter, sondern die Dreifaltigkeitsgasse hinauf. Und natürlich am Ende der Dreifaltigkeitsgasse liegt das *Café Feinschmeck*.

Aber interessant. Jemand muß zum Spaß den Türgriff des *Feinschmeck* unter Strom gesetzt haben. Also nicht, daß du mich jetzt falsch verstehst. Da hat der Brenner die *Feinschmeck*-Tür gerade erst einen Spaltbreit offen gehabt, sieht er sofort den Nemec da sitzen. Natürlich Elektroschock. Natürlich sofort Tür zu. Aber interessant! Durch den Schock sind seine Muskeln außer Kontrolle. Braucht er ein paar Sekunden, bis die tonnenschwere Glastür endlich zu ist.

Vielleicht ist es aber auch nur am hydraulischen Türschließer gelegen, der das Türenknallen verhindert. So wird es gewesen sein. Damit hat sich der Brenner jetzt beschäftigt, wie er die Dreifaltigkeitsgasse wieder hinuntergegangen ist. Weil er hat nicht darüber nachdenken wollen, was der Nemec auf einmal wieder in Zell zu suchen hat. Und er hat nicht wissen wollen, wieso ihn der Nemec vorher angerufen hat. Weil der Brenner ist sich jetzt auf einmal ganz sicher gewesen, daß das nur der Nemec gewesen sein kann. Wer sonst läßt das Telefon bis zum Gehtnichtmehr klingeln.

Aber ewig hat er nicht über hydraulische Türschließer und Telefonklingeln nachdenken können. Jetzt – eine andere Ablenkung muß her. Der Brenner kauft sich die *Pinzgauer Post* und geht damit zum See hinunter. Aber statt daß er die Zeitung liest, tut er ganz etwas anderes. Weil in dem Moment, wenn du einen Schock hast, bist du oft zu Dingen fähig, zu denen du sonst nicht fähig bist. Jetzt hat der Brenner sich blitzartig für die *Walther* entschieden und sich auf den Weg zum jungen Perterer gemacht.

Aber du darfst eines nicht vergessen. So ein Zauderer der Brenner auch gewesen ist, der hat auch noch einen anderen Grund gehabt, wieso er sich seit Monaten für keine Pistole entscheiden kann. Der alte Perterer hat sich ja nicht einmal zwei Monate vor der Liftgeschichte erschossen. Da hat sich der Brenner im Waffengeschäft jedesmal gedacht: Schadet vielleicht nichts, wenn ich mich noch einmal ein bißchen mit dem jungen Perterer unterhalte.

«Ist es also doch noch die *Walther* geworden», lächelt der junge Perterer. Aber da hat man gesehen, daß der noch nicht lange Kaufmann gewesen ist. Weil jetzt, wo sich der Brenner endlich entschieden hat, sagt der junge Perterer:

«Obwohl die *Glock* natürlich auch ihre Vorteile hat.»

«Ja, die *Glock*, fast wäre es die *Glock* geworden.»

«Alles Kunststoff. Kein Rost, kein Dreck, kein gar nichts. Und wenn du sie ins Wasser wirfst, geht sie immer noch.»

«Oder in den Schnee.»

«Die amerikanische Polizei weiß schon, wieso sie die *Glock* hat.»

«Die Polizei weiß auch nicht alles.»

«Nein, besonders unsere», lacht der junge Perterer, weil das ist so ein Typ gewesen, wenn den was amüsiert hat, dann hat es ihn gleich geschüttelt vor Lachen. Aber dann hat er gleich wieder ganz ernst weitergeredet:

«Eines würde mich schon interessieren. Was macht eigentlich die Polizei in so einem Fall mit den Ferngläsern?»

Jetzt, der Brenner hat in 20 Jahren Polizei nie ein Fernglas gehabt. Immer eine Waffe, aber nie ein Fernglas. Er hat momentan geglaubt, der junge Perterer ist so ein unerfahrener Geschäftsmann, der glaubt womöglich, er kann der Polizei Ferngläser verkaufen. Weil da gibt es ja nicht nur Pistolen und Gewehre in einem Waffengeschäft. Da sind auch Zielfernrohre und ganz normale Feldstecher beim Perterer in der Auslage gelegen.

«Vielleicht die Grenzpolizei, daß die dort Ferngläser haben. Aber das glaube ich nicht, daß man denen leicht Ferngläser verkaufen kann. Weil die Polizei, das ist eine Bürokratie, da wirst du alt.»

«Jetzt habe ich mich falsch ausgedrückt», sagt der junge Perterer, weil das ist ein höflicher junger Mann gewesen, dem haben sie in Paris Manieren beigebracht, der hätte nie gesagt: Jetzt haben Sie mich falsch verstanden.

«Ich meine die Ferngläser von den Amerikanern. Was die Polizei mit denen tut, wenn sie zum Beispiel bei Mordopfern Ferngläser findet. Weil die sind ja noch ganz neu gewesen.»

Jetzt natürlich, das hat der Brenner schon ganz vergessen gehabt, daß die Amerikaner Ferngläser dabeigehabt haben am Lift. Aber das sind keine richtigen Ferngläser gewesen, mehr so bessere Operngucker. Und so was kannst du leicht einmal dabeihaben als Tourist.

«Haben Sie denen die Ferngläser verkauft?»

«Ja, der Amerikaner ist ja selber bei mir gewesen.»

«Das weiß ich jetzt auch nicht genau, was die Polizei dann mit den Ferngläsern gemacht hat. An sich natürlich Erben. Andererseits Beweismaterial. Das liegt vielleicht immer noch bei der Polizei.»

«Schade, weil sind ja noch ganz neu gewesen. ‹A surprise for my wife›, hat der Amerikaner gesagt, wie er die Ferngläser abgeholt hat. Aber da muß ich ehrlich sagen, wenn ich heute Millionär bin, da fällt mir auch ein besseres Geschenk zum sechzigsten Hochzeitstag ein.»

«Und sich selber hat er auch eines gekauft.»

«Bestellt hat er sie ja noch bei meinem Vater. Abgeholt hat er sie dann schon bei mir. Vielleicht eine Woche bevor der Lois sie im Lift gefunden hat. Weil das hat Monate gedauert, bis die Gucker aus Amerika gekommen sind. Natürlich Spezialwunsch. Der hat genau gewußt, was er will, der alte Amerikaner.»

«Nicht so wie ich», sagt der Brenner und erklärt dem jungen Perterer, daß er sich das mit der *Walter* noch einmal überlegen muß. Weil er hat sich gedacht, vielleicht rede ich lieber noch einmal mit dem jungen Perterer.

Dann ist der Brenner halb um den See herumgegangen. Aber das hat er erst richtig bemerkt, wie er sich müde auf eine Bank gesetzt und nach Zell hinübergeschaut hat. Die Seepromenade ist vollkommen menschenleer gewesen. Wenn die Menschen weg sind, ist es hier so schön, da verstehst du auf einmal, daß alle hier sein wollen, hat er jetzt gedacht. Dann hat er die *Pinzgauer Post* genommen und auf der ersten Seite gelesen:

«Auferstehung der Toten!»

Das muß der Mandl gedichtet haben. Ostern war aber noch weit, und außerdem: Direkt unter der Schlagzeile ist ein Foto von den amerikanischen Liftfahrern gewesen.

Und unter dem Foto ist gestanden, daß mehrere von den

Parsons datierte und unterschriebene Schecks eingelöst worden sind. Über hunderttausend Schilling haben die Parsons von ihren Konten abgehoben. Und das ein halbes Jahr nach ihrem Tod.

10

Jetzt mußt du wissen, eine Berufsfeuerwehr gibt es nur in den Landeshauptstädten. Sonst überall eine Freiwillige Feuerwehr, weil da gehen die jungen Männer freiwillig hin, da gibt es ein Feuerwehrfest und, sagen wir, Bälle, und so oft brennt es nicht auf dem Land.

Oft einmal, daß ein Autounfall, also Samstag nacht, daß man den herausschneiden muß. Weil für die jungen Leute auf dem Land ist das Auto wichtig, da gibt es eine Disko, die ist im Nachbarort, jetzt brauchen sie natürlich ein Auto.

Dann wird es gern einmal zwei in der Früh oder drei, vier auch einmal. Jetzt der Alkohol, und dann fahren sie heim, lustig alle im Auto, Mädchen auch natürlich, jetzt muß man sie herausschneiden oft einmal.

Aber brennen in dem Sinn tut es ja selten. Vielleicht einmal ein Bauernhof, wenn das Heu nicht ganz trocken ist, daß ein Bauer das feuchte Heu einführt, brennt ihm natürlich der ganze Hof ab.

Aber selten. Da kann ein junger Bursch schon die längste Zeit bei der Feuerwehr gewesen sein, sagen wir, der kann schon zwei Feuerwehrbälle in Uniform hinter sich haben, hat aber noch nicht einen Brand erlebt. Schon herausgeschnitten, vielleicht zehn Leute, oder eine Rentnerin hat ihren Wohnungsschlüssel eingesperrt, solche Dinge, oder von mir aus Küchenbrand, aber da spritzt er einmal hin und aus.

Jetzt leider. Kommt es immer wieder vor, daß so ein junger Feuerwehrmann, der noch nie einen Brand erlebt hat, auf falsche Gedanken kommt. Daß so ein armer Teufel selber was anzündet, nur damit er löschen kann. Haben wir alles schon gehabt. Weißbach einmal, Bruck einmal und Eschenau, weiß ich es, früher einmal.

Das hat aber jetzt nichts mit unserer Geschichte zu tun, mit den Amerikanern da im Lift. Sondern nur, damit du verstehst, wieso der Lift Lois in dieser Nacht, der 14. September ist das gewesen, wieso der jetzt dermaßen erschrocken ist. Obwohl er schon zehn Jahre Feuerwehrhauptmann gewesen ist, über zehn Jahre, weil die Medaille hat er schon letzten Sommer gekriegt. Aber in Zell hat es schon fast drei Jahre nicht mehr gebrannt gehabt.

Und jetzt ausgerechnet eine Tankstelle. Zwölf Minuten vor zehn ist die Sirene gegangen, am 14. September, ein Donnerstag ist das gewesen, da hat der Lift Lois schon den Pyjama angehabt.

Jetzt einfach hinein in den Anorak, und da sitzt er schon in seinem Renault Twingo, nichts an als den Pyjama und den Anorak, aber ist egal, er muß ja sowieso gleich in die Uniform schlüpfen.

Nach zwei Minuten ist er schon beim Zeughaus unten, sind schon drei, vier andere vor ihm da, jetzt die Tankstelle brennt, und von allen Richtungen rasen die Feuerwehrmänner herbei, nach vier Minuten sind alle da, nach fünf Minuten fährt der erste Löschwagen hinaus.

Wenn natürlich der Hauptmann nervös ist, dann steckt das die ganze Mannschaft an. Der Fahrer ist der Seidl gewesen, der ist seit 15 Jahren Fahrer bei der Feuerwehr, sonst auch Fahrer, also beruflich, Chauffeur beim Frächter Hasenauer. Fährt der gleich nach der Ausfahrt in die erste Kurve zu schnell hinein. Möchte man glauben, die kennt er wie seine eigene und ist er schon tausendmal mit dem Löschwagen durchgefahren, und immer so schnell, wie es geht, aber dieses Mal zu schnell.

Nicht daß was passiert ist, gar nichts passiert, muß er reversieren, Servolenkung, gar kein Problem, und verliert er vielleicht zehn Sekunden, die hat er gleich wieder aufgeholt. Nur – die Nervosität ist dagewesen. Kein Wunder, weil eine Tankstelle, das ist natürlich das erste Mal gewesen, für jeden das erste Mal, nicht nur für die Jungen, für jeden, für den Kommandanten auch.

Und dann das Schulungsvideo. Das ist in Frankreich gewesen, schon – ich weiß nicht, fünfziger oder sechziger Jahre. Das haben die Älteren alle schon ein paarmal gesehen, und die Jungen zumindest einmal, weil gerade diesen Juli, also erst ein paar Monate vorher, hat ihnen der Lift Lois wieder das alte Schulungsvideo vorgespielt. Weil da hat in Cannes eine Tankstelle gebrannt, und da hat man genau gesehen, was die französischen Feuerwehrleute falsch gemacht haben.

Da haben die Zeller Feuerwehrmänner jetzt natürlich dran denken müssen, wie die in Cannes, die Kollegen quasi, wie die alle miteinander in die Luft gegangen sind. Weil da ist nicht einer davongekommen. Das hat man schön gesehen auf dem Video, darum hat man es immer wieder für Schulungszwecke hergenommen, weil man genau gesehen hat, was die französischen Feuerwehrleute falsch gemacht haben.

Aber natürlich. Viel brauchst du da nicht falsch machen, bist du schon in der Luft. Und das ist jetzt natürlich während der Anfahrt den Zeller Feuerwehrmännern durch den Kopf gegangen. Wie die Franzosen nur ein paar Meter zu nahe hingegangen sind, und schon – daß du geglaubt hast: Atombombe.

Und da hast du gleich gemerkt, jeder einzelne von den Zeller Feuerwehrmännern ist nervöser als sonst, nicht nur die Jungen, die Alten genauso. Weil natürlich, muß alles furchtbar schnell gehen, und während der Fahrt müssen sie erst ihre Uniform richten, also zuknöpfen, Stiefel binden, Helm, Handschuhe. Jetzt merkst du es bei den Kleinigkeiten, wenn einer die Masche nicht zusammenbringt oder, sagen wir, falsch zuknöpft, daß er nervös ist.

Nach drei Minuten ist der Seidl schon beim Möbelhaus oben. Der ist gefahren, daß er die zehn Sekunden schon zweimal herinnen gehabt hat. Mindestens. Weil hinter dem Möbelhaus ist ja schon die Aral-Tankstelle. Und wie er hinter dem Möbelhaus herauskommt, da sind ein paar von den jungen Feuerwehrmännern richtig aufgesprungen. Vorher sind sie noch ganz steif dagesessen, und auf einmal sind sie aufgesprungen, und der Niederwieser hat sogar einen Schrei ausgestoßen.

Weil die Tankstelle hat gar nicht gebrannt. Jetzt, wie gibt es so was, daß ein erfahrener Feuerwehrhauptmann wie der Lift Lois die Tankstelle verwechselt. Und noch dazu ist die Shell-Tankstelle genau auf der anderen Seite von Zell gelegen. Aber über den See hinüber hast du es sogar von hier aus, von der Aral-Tankstelle aus, gesehen, daß drüben die Shell-Tankstelle brennt, weil die Flammen haben sich ja über den halben See gespiegelt.

Aber das ist dem Lift Lois nur passiert, weil er seit 30 Jahren immer bei der Aral-Tankstelle getankt hat, weil der hat sich 1966 sein erstes Auto gekauft, einen alten Käfer, und damals schon nur Aral. Jetzt hat er den Seidl automatisch zur Aral-Tankstelle kommandiert, obwohl er die Brandmeldung «Shell-Tankstelle» ganz genau verstanden hat.

In dem Moment, wo er die Aral-Tankstelle vor sich sieht, und die brennt nicht, ist es ihm natürlich sofort wieder eingefallen. Außerdem, man hat es ja bis herüber gesehen. Die Shell-Tankstelle brennt. Oder besser gesagt, ausgesehen hat es, daß du geglaubt hast, die gesamte Nordausfahrt in Flammen. Weil was glaubst du, wenn so eine Tankstelle einmal brennt.

«Korrigiere Brandadresse! Shell-Tankstelle, Nordausfahrt!» brüllt der Lift Lois in sein Funkgerät. Weil es sind ja noch zwei Löschfahrzeuge hinter ihnen hergefahren, und die haben es auch wissen müssen. Aber natürlich, da nützt das ganze Brüllen nichts. Unter fünf Minuten kommst du nicht von der Aral-Tankstelle zur Shell-Tankstelle, ob da der Seidl fährt oder sonst einer, ist ganz egal.

Wie sie endlich hinkommen, sind natürlich alle anderen schon da: Polizei, Rettung, Zeitung, alles da. Nur die Feuerwehr nicht da.

Wie der Lift Lois aus dem Wagen springt, hüpft er dem Postenkommandanten Kollarik direkt vor die Füße. Und der Kollarik, das ist ein jähzorniger Hund gewesen, zu dem haben die Zeller immer «Kolleriker» gesagt, natürlich nur, wenn er nicht dabeigewesen ist. Und der schreit den Lift Lois jetzt an, da ist es ein Glück gewesen, daß der Lois ihn nicht verstanden hat. Weil wenn so eine Tankstelle einmal richtig brennt, ist das natürlich ein Lärm, daß du glaubst: Jüngster Tag.

Aber der Lift Lois hat jetzt den Postenkommandanten Kollarik nicht einmal gesehen. Die Leute haben später gesagt, daß der Lift Lois ein Kommando geführt hat, kein bißchen nervös, wie ein Roboter, und so superruhig, wie wenn du im Fernsehen einen Uno-General siehst. Funkgerät und total ruhig, haben die Leute immer wieder gesagt.

Jetzt, kann die Feuerwehr überhaupt noch was machen, wenn so eine Tankstelle einmal richtig brennt? Das stimmt schon, im Grunde die Tankstelle selber, die kannst du vergessen. Löschmittel natürlich Schaum, aber das brennt aus, das ist aussichtslos. Aber rundherum um so wichtiger. Das fängt an mit Brandabsichern. Weil die Schaulustigen natürlich, da gibt es mehr Tote als beim Brand selber, wenn du nicht sofort alles absicherst. Da mußt du rabiat durchgreifen, weil die Leute, wenn es was zum Schauen gibt, die rennen dir in die brennende Tankstelle hinein.

Jetzt haben die Gendarmen zwar fest auf die Uhr geschaut, wie die Feuerwehr nicht gleich gekommen ist, aber von Brandabsicherung noch nie was gehört. Die Leute sind viel zu nahe gestanden, und wenn etwas explodiert wäre, hätte es kein einziges Rettungsauto für sie gegeben, weil die Rettungsautos sind auch viel zu nahe gestanden. Jetzt ist der Lift Lois zuerst einmal da hineingefahren, daß es nur so gestaubt hat. Zwei Minuten später sind schon alle um zweihundertfünfzig Meter weiter hinten gestanden.

Inzwischen hat die Mannschaft die Pumpe zum See hinuntergeschleppt. Da gibt es ja keine Zufahrt, weil die Eisenbahn dazwischen ist und die enge Fußgängerunterführung zu schmal für die Pumpe. Jetzt haben sie die Pumpe über die Bahntrasse schleppen müssen.

Zäune wegreißen, weil da sind ja meterhohe Drahtzäune zwischen der Straße und der Bahn, und zwischen der Bahn und dem See genauso Zäune. So schnell schaust du gar nicht, hat die Feuerwehr schon den Zaun abgerissen. Dann die Schläuche auch gleich über die Bahntrasse geführt, weil Zug hat sowieso keiner fahren dürfen. Stell dir vor, die Tankstelle geht in die Luft, fliegt der ganze Zug gleich mit.

Das ist immer die große Frage, wenn eine Tankstelle brennt. Da hast du als Feuerwehrmann immer so ein Gefühl da hinten im Genick. Fliegt sie jetzt in die Luft, oder fliegt sie nicht in die Luft. Punkt eins: Brand absichern. Punkt zwei: Nebengebäude sichern. Punkt drei: Fliegt sie jetzt in die Luft, oder fliegt sie nicht in die Luft.

Später auf dem Video hat man es ganz genau gesehen, wie der Lift Lois kommandiert hat. So ruhig, da wäre nie jemand auf die Idee gekommen, daß es seine erste Tankstelle ist. Weil einer von den Feuerwehrmännern muß jetzt immer mit einem Video dabeisein, früher Fotograf, wegen der Versicherung und diesen Dingen, muß einfach sein, aber heute nur mehr Video, da haben sie zwei Leute, die sind extra geschult. Und da hat man es genau gesehen, wie der Lois zuerst den Brand absichert, alle Schaulustigen zweihundertfünfzig Meter weiter zurück, keiner darf beim See unten stehen, weil das Ufer ist ja viel zu nahe. Und dann sofort die Nebengebäude sichern.

Erstens Leute evakuieren, zweitens Gebäude sichern. Aber da kannst du nicht einfach die Häuser mit Wasser anspritzen, damit sie nicht auch noch zu brennen anfangen, weil dann hat das Haus vielleicht einen Wasserschaden, der ist genauso teuer, wie wenn es gleich abgebrannt wäre.

Aber die angrenzenden Gebäude sind wenigstens keine Wohnhäuser gewesen, sondern das Lagerhaus und der Mercedes-Gebrauchtwagenhändler Lengauer. Und der Lagerhausdachstuhl hat schon ein bißchen geglüht auf der einen Seite, jetzt mußt du natürlich hinspritzen, Wasserschaden hin oder her, kannst du nicht das ganze Lagerhaus abbrennen lassen.

Alles in Sekunden natürlich. Lagerhaus ausräumen lassen, damit das Wasser nicht die ganze Ernte ruiniert. September noch dazu. Und dann die ganze Zeit: Fliegt sie jetzt in die Luft, oder fliegt sie nicht in die Luft. Weil so eine Tankstelle hat ja unterirdische Tanks. Obwohl das alles sehr gut gesichert ist, da fragt man sich, wie es überhaupt brennen kann. Aber wenn es einmal brennt – um so gefährlicher.

Du weißt ja nicht, was ist mit den unterirdischen Tanks. Brennen sie auch schon, oder brennen sie noch nicht, kannst du ja nicht hineinschauen unter die Erde. Jetzt, solange sie nur brennen, ist es nicht so schlimm. Aber dann – explodieren tun natürlich die Gase. Bei einer gewissen Temperatur. Deshalb mußt du die ganze Zeit den Asphalt über den Tanks anspritzen, also kühlen, damit die Tanks die Temperatur nicht erreichen.

Weil solange die Temperatur niedrig genug ist, brennen sie und brennen, aber fliegen nicht in die Luft. Also einerseits kühlen, aber andererseits ja nicht zu nahe hingehen, weil das hast du ja so gut auf dem Video gesehen, in Cannes oder wo das gewesen ist. Die Feuerwehr hat die Tanks gekühlt, die sind aber schon so heiß gewesen, daß sie trotzdem explodiert sind, und jetzt sind die Feuerwehrleute zu nahe dabeigestanden, und dann natürlich: gute Nacht.

Aber da muß man sagen, wie der Lift Lois das kommandiert hat: Hut ab. Jetzt mußt du wissen, daß der Feuerwehrhauptmann gewählt wird, das ist ja kein Beruf, sondern da wirst du gewählt. Eine Versammlung, und da wählen die Mitglieder der Freiwilligen Feuerwehr ihren Hauptmann. Weil natürlich Statuten. Und der Lift Lois ist seit über zehn Jahren Feuerwehrhauptmann gewesen, da gibt es gar nichts, da ist nie ein anderer in Frage gekommen. Aber wie er jetzt die Tankstellen verwechselt hat, hat er zuerst schon geglaubt: Aus und vorbei. Feuerwehrhauptmann bist du die längste Zeit gewesen.

Das hat den Lois aber so deprimiert, daß die ganze Angst auf einen Schlag von ihm abgefallen ist. Nach fast elf Jahren soll wegen fünf Minuten auf einmal alles aus und vorbei sein. Nicht mehr Feuerwehrhauptmann, das ist ihm schlimmer vorgekommen als das, was den Kollegen in Cannes passiert ist.

Aber interessant, so ist der Mensch. Ausgerechnet deshalb hat er es so ruhig und ohne Fehler gemacht. Weil es ihm momentan fast lieber gewesen wäre, wenn sie alle miteinander in die Luft fliegen. Gut, daß das die Leute nicht wissen.

Und heute haben sie in ganz Europa bei den Feuerwehrschulungen das Zeller Video. Man sieht darauf genau, wie der Lois den Löschtrupp zurückpfeift, der die unterirdischen Tanks gekühlt hat. Weil da sind acht Männer gestanden, je zwei mit einem Schlauch, und haben nichts anderes getan, als dorthin spritzen, wo unter dem Asphalt die Tanks sind. Das mußt du auf jeden Fall tun, auch wenn du natürlich hoffst, daß es in den Tanks doch nicht brennt.

Aber eines sieht man nicht auf dem Schulungsvideo, nämlich das, was der Lift Lois jetzt gesehen hat. Weil wenn eine Asphaltdecke weich und flüssig wird, das siehst du ja in der Nacht nicht so ohne weiteres, auch wenn es vom Brand her noch so gut beleuchtet ist. Der Asphalt rinnt ja nicht gleich in Bächen weg, sondern nur, wenn du ganz genau schaust, siehst du es, daß er auf einmal weich wird.

Und wie jetzt der Lift Lois das sieht, daß da auf einmal der Asphalt weich wird, hat er natürlich gewußt, daß es drunter ziemlich warm sein muß. Das andere sieht man dann wieder gut auf dem Video.

Wie der Lois seine Männer zurückpfeift. Und dann sieht man, wie sie zuerst nur ein paar Schritte zurückgehen. Und dann sieht man, wie der Lois sie eigenhändig regelrecht zurückreißt. Und dann, höchstens zwei Sekunden später, sieht man, das mußt du dir vorstellen wie diese Kriegsflugzeuge, die senkrecht starten können. So ist die ganze Tankstelle langsam senkrecht in die Luft gestiegen.

Jetzt natürlich hat der Lift Lois gewußt, die acht, die er zurückgepfiffen hat, wählen ihn garantiert wieder zum Hauptmann.

11

Der Zeller Friedhof liegt nur ungefähr 200 Meter von der Shell-Tankstelle entfernt. Also angenommen, du gehst von der Post zum *Hirschenwirt*, das ist weiter. Vielleicht sind es sogar nur 150 Meter zwischen der Tankstelle und der Friedhofsmauer. Aber die paar Meter machen es aus.

Die Tankstelle liegt natürlich genau am Ortseingang. Oder ist gelegen, besser gesagt. Und ganz genau da, wo die Tankstelle gewesen ist, fängt für das Gefühl Zell an. Obwohl die Ortstafel ja schon einen halben Kilometer vorher ist. Aber irgendwie ist das eine Gefühlssache.

Jetzt ist der Friedhof nur die paar Schritte weiter stadtauswärts, auch noch weit vor der Ortstafel, also im Ortsgebiet, Tempo fünfzig, aber trotzdem, ob du es glaubst oder nicht. Der Friedhof grenzt mehr oder weniger an die Tankstelle an, und trotzdem, die Tankstelle ist noch herinnen, und der Friedhof ist schon eindeutig draußen.

Wird dir kein Zeller sagen, der Friedhof ist herinnen, weil jeder hat das Gefühl, daß er aus Zell hinausgeht, wenn er auf den Friedhof geht. Und obwohl es nur die paar Meter sind, geht keiner zu Fuß auf den Friedhof, sondern fährt praktisch jeder mit dem Auto, weil du ja das Gefühl hast, daß du aus Zell hinausmußt.

Wenn du nur schnell was von der Tankstelle gebraucht hast, eine Sicherung, bist du vielleicht zu Fuß hingegangen, aber wenn du auf den Friedhof gegangen bist, vielleicht wenn du einen Todestag hast, eine Kerze anzünden oder, sagen wir, Blumen, bist du garantiert mit dem Auto gefahren.

Da kannst du dir leicht vorstellen, wie es auf dem Parkplatz ausgeschaut hat, wie sie den Vergolder eingegraben haben. Alles vollgeparkt, Straßenrand, alles, bis zur Tankstelle herein, und sogar auf der Tankstelle selber haben ein paar geparkt, also mitten im Schutt. Weil der ist nicht mehr heiß gewesen, nur gestunken hat es immer noch, aber das hast du ja sowieso in ganz Zell gerochen. Das ist am Mittwoch gewesen, genau eine Woche nach der Explosion.

Jetzt paß auf, die Tankstelle ist am 14. in die Luft gegangen, jetzt also schon der 21. September. Und immer noch eine Sommerhitze, da hat sich keiner erinnert, daß es so was schon einmal gegeben hat. Schon natürlich: Altweibersommer, aber nicht durchgehend seit ich weiß nicht wann. Praktisch Klimaverschiebung, daß viele nicht gewußt haben, was soll ich jetzt zum Begräbnis anziehen, weil viel zu warm für den schwarzen Mantel, und heute hat nicht jeder einen schwarzen Anzug oder ein schwarzes Kleid. Und ist natürlich ganz Zell dabeigewesen beim Vergolder seinem Begräbnis.

Und jetzt am nächsten Tag, das ist der Donnerstag gewesen, haben sie den Lorenz eingegraben. Weil das ist dem Pfarrer eingefallen, daß man nicht gut das Opfer und den Mörder, also wie schaut das aus, wenn man die zusammen eingräbt. Aber «eingraben» ist natürlich nicht ganz richtig gesagt. Weil wenn du heute auf einer Tankstelle verbrennst, bleibt natürlich nicht mehr viel über, was man in dem Sinn eingraben kann. Jetzt ist es mehr so eine symbolische, quasi Angelegenheit gewesen, aber trotzdem ein richtiges Begräbnis.

Wie sie jetzt den Lorenz am Donnerstag eingegraben haben, möchte man glauben, da gehen viel weniger Leute hin. Aber interessant. Es sind am Donnerstag wieder alle gekommen, und natürlich, ob du es glaubst oder nicht, wieder alle mit dem Auto, daß du geglaubt hast, Fußballweltmeisterschaft.

Nur der Brenner natürlich brav zu Fuß hinausgegangen. Aber auf dem Friedhof hat er dann genauso eingeklemmt stehen müssen wie alle anderen.

«Die Blumen auf dem Grab vom Vergolder schauen noch ganz frisch aus», flüstert ihm eine Frauenstimme von hinten direkt in das linke Ohr hinein.

«Obwohl sie schon 26 Stunden da liegen», flüstert ihm eine andere Frauenstimme in das rechte Ohr hinein.

Das hat den Brenner noch amüsiert, wie genau sie gerechnet hat, weil den Vergolder haben sie um eins eingegraben und den Lorenz um drei, also 26 Stunden, das hat genau gestimmt.

«Das ist der Herbst», flüstert jetzt wieder die Frau, die hinter seinem linken Ohr steht. Und obwohl sie geflüstert hat, und da erkennst du ja nicht leicht eine Stimme, hat der Brenner jetzt gemerkt, daß er diese Stimme irgendwoher kennt.

«Ach wo, der Herbst», flüstert ihm die andere Stimme in das andere Ohr:

«Was für ein Herbst denn, bei 29 Grad, heißer als der ganze Sommer.»

«Heiß ja, aber die Herbstluft», flüstert die linke Stimme, aber es ist ihm immer noch nicht eingefallen, woher er sie kennt. Und rechts hat es jetzt geflüstert:

«Die Seeluft macht das. Ununterbrochen die frische Brise, die es herüberweht vom See, was glaubst du, wie gut das für die Blumen ist.»

«Die Seeluft, die hätten wir ja das ganze Jahr.»

Wem gehört jetzt diese Stimme, hat sich der Brenner gefragt, und es hat ihn langsam nervös gemacht, daß es ihm nicht einfällt. Aber wie er sich umdrehen will, kommt er nicht weit. Weil gleich fällt sein Blick auf die Deutsche. Aber die ist nicht hinter ihm gestanden. Er hat seinen Kopf erst ein paar Zentimeter gedreht gehabt, da ist sein Blick bei der Deutschen ganz auf der anderen Seite drüben hängengeblieben.

Jetzt hat natürlich der Brenner die zwei Frauen hinter sich sofort vergessen gehabt. Weil die Handlose ist natürlich nicht allein dagewesen. Die hat den Andi bei sich gehabt, also der ist mehr oder weniger an ihrem Arm gehängt. Die Arme sind ja bei ihr ganz normal dagewesen, also gesund, nur unten keine Hände dran. Und da ist der Andi an ihr, daß man fast sagen muß: gehängt, daß du geglaubt hast, wenn du dem die Deutsche wegnimmst, fällt er dem Lorenz ins Grab nach. Weil die beiden sind ganz vorne gestanden, seitlich neben dem Pfarrer, quasi an der Längsseite vom Grab.

Und das ist jetzt genau gleich wie gestern gewesen. Da hat der Brenner auch beobachtet, wie der Andi an der Deutschen hängt, daß du geglaubt hast, der Andi macht es auch nicht mehr lang, und dann gibt es noch ein drittes Begräbnis. Obwohl er ganz unverletzt geblieben ist bei dem Unglück, und da muß man sagen: wie durch ein Wunder.

Weil der Andi ist im Shell-Shop sitzen geblieben, wie der Vergolder tanken gekommen ist. Der Lorenz ist wieder einmal beim Andi auf der Tankstelle gewesen, hat ihm Gesellschaft geleistet, wie fast jeden Tag. Und der ist dann eben hinausgegangen, wie sein Onkel mit dem Allrad vorgefahren ist. Das ist ja alles in der *Pinzgauer Post* gestanden.

Und die ganze Woche ist in Zell natürlich über nichts anderes geredet worden. Schön langsam ist es durchgesickert. Und einer hat immer ein bißchen mehr gewußt als der andere. Der Brenner hat überall hinhorchen müssen, und jetzt ist ihm vorgekommen, daß ihm schon die Ohren weh tun. Weil natürlich, da mußt du dir viel Blödsinn anhören.

Aber gestern beim Vergolder-Begräbnis hat ihm die Deutsche ganz etwas anderes erzählt. «Ganz etwas anderes» ist gut, weil eigentlich hat sie ihm etwas erzählt, was sich nicht unbedingt gehört bei einem Begräbnis. Aber du wirst lachen, das kommt öfter vor, als man glauben möchte, daß die Leute bei einem Begräbnis anfangen, Witze zu erzählen.

Wie jetzt sein Blick die Deutsche streift, versucht der Brenner, sich an den Witz zu erinnern, den sie ihm gestern mitten im Begräbnis zugeflüstert hat. Aber nein, nichts zu machen, der Witz ist weg gewesen. Und die Deutsche selber ist ihm heute auch wie ausgewechselt vorgekommen. Für einen Moment hat er nicht gewußt, hängt jetzt der Andi an der Deutschen, oder hängt sie an ihm, und fast ist ihm vorgekommen, daß sie weint, obwohl natürlich. Er ist viel zu weit von ihr entfernt gewesen, daß er das hätte sagen können.

Jetzt ist dem Brenner aber etwas anderes eingefallen. Nicht der Witz, den ihm die Deutsche gestern mitten im Begräbnis erzählt hat, weil der Brenner ist überhaupt nicht einer gewesen, der sich Witze leicht merkt. Um so mehr hat er sich gewundert, daß ihm ausgerechnet jetzt der Witz einfällt, den er vor Jahren beim Begräbnis seines Kollegen Schmeller gehört hat. Weil der ist bei einem Bankraub erschossen worden, und wie sie seinen Sarg hinuntergelassen haben, hat der Haslauer mit diesem Witz angefangen.

Da siehst du, daß dem Brenner das Begräbnis vom Lorenz nähergegangen ist, als er selber geglaubt hat. Weil natürlich: Psychologie. Und wenn heute einer anfängt mit Witze-Erzählen beim Begräbnis, dann ist das ganz klar. Der Brenner hat den Lorenz ja kennengelernt, und irgendwie ist er ihm – ich möchte nicht sagen: sympathisch gewesen. Aber er hat sich jetzt doch gewundert, wie er merkt, daß er sich selber einen Witz erzählt.

Der Lorenz, dieser Spinner hat sich selber in die Luft gejagt, praktisch Selbstmordkommando. Der Vergolder fährt in die Tankstelle herein, und der Lorenz sagt zum Andi, das mach ich schon, und der Andi denkt sich nichts dabei, weil ihm der Lorenz schon öfter einmal geholfen hat. Und froh ist er außerdem, wenn er mit dem Vergolder nichts zu tun hat. Erstens kein Trinkgeld und zweitens die ewige Streiterei wegen der Zigarette, weil der Vergolder immer mit der brennenden Zigarette auf der Tankstelle herumsteht.

Der Lorenz also hinaus, packt den Zapfhahn, und das mußt du dir so vorstellen, wie wenn sich zwei Kinder mit dem Gartenschlauch anspritzen. Zielt der Lorenz mit dem Benzinschlauch aus zwei Metern Entfernung direkt in das

Gesicht seines Onkels. Und da ist auch die brennende Zigarette gewesen. Dann natürlich. Eine Sekunde später sind die beiden in Flammen gestanden, und die ganze Tankstelle dazu.

Ein Wunder, daß der Andi davongekommen ist, der ist um sein Leben gelaufen, weil unmöglich, daß er da noch helfen hätte können.

Jetzt steht der Brenner da am Grab und merkt auf einmal, daß es ihm leid tut um den Lorenz. Nicht normal leid, sagen wir, wie es dir um jeden Menschen leid tut, sondern zum Beispiel mehr leid als um den Vergolder.

Und daß jetzt doch der Lorenz die amerikanischen Schwiegereltern seines Onkels umgebracht hat. Der Brenner hat sich selber gewundert, doch es ist ihm nicht recht gewesen. Aber es ist in der *Pinzgauer Post* gestanden. Neben einem Foto vom Nemec. Der Fall ist abgeschlossen, das ist direkt unter dem Nemec seinem Foto gestanden. Jetzt natürlich der Brenner trotzig, fängt er auf einmal mit dem Lorenz zu sympathisieren an.

Und neben dem Foto vom Nemec ist eines vom Andi gewesen. Augenzeugenbericht. Der Mandl hat den Andi noch im Spital interviewt, und vielleicht ist das der Grund dafür gewesen, daß der Brenner dann gar nicht mit dem Andi geredet hat. Daß er vielleicht nicht so ein Geier wie der Mandl sein will. Daß er sich deshalb vorläufig mit dem begnügt hat, was die Leute erzählt haben. Und mit dem Bericht in der *Pinzgauer Post*. Auch wenn dem Mandl sein Name darübergestanden hat.

Vorsichtshalber haben sie ja den Andi in der Brandnacht sofort ins Krankenhaus gebracht, das heißt, nachdem sie ihn bei der Seepromenade unten erwischt haben. Weil der hat natürlich einen Schock gehabt, daß er um den halben See herumgelaufen ist. Und dann hat er sich noch gewehrt und geschrien, daß er unverletzt ist. Das hat dann aber auch gestimmt. Und im Krankenhaus hat schon der Mandl auf ihn gewartet. Der geht immer mit dem Oberarzt segeln, da hat er sein Interview natürlich gleich gehabt.

Der Andi hat dem Mandl natürlich erzählt, daß ganz allein der Vergolder schuld gewesen ist:

«Der Vergolder hat ja immer selber seinen Tankdeckel aufgemacht, obwohl wir keine Selbstbedienungstankstelle sind.»

Und tausendmal hat ihn der Andi schon darauf aufmerksam gemacht. Daß er gefälligst nicht mit der brennenden Zigarette im Mund den Tankdeckel aufmachen soll.

«Der Lorenz war oft bei mir auf der Tankstelle. Meistens ist er nur dagesessen und hat geraucht. Im Shop darf man ja rauchen. Manchmal hat er mir auch geholfen. Aber ich habe mich gewundert, daß er ausgerechnet hinausgeht, wie sein Onkel tanken kommt. Er kann seinen Onkel ja nicht leiden. Ich natürlich auch nicht. Steigt der aus seinem Allrad und hat natürlich wie immer eine Zigarette im Mund. Sagt der Lorenz zu mir: Bleib sitzen, ich mach ihn schon.»

So lange der Brenner auch darüber nachgedacht hat, es ist ihm nichts aufgefallen, daß er hätte sagen können: Ungereimtheit.

Jetzt hat er aber gemerkt, daß auf einmal der Nemec auf dem Friedhof neben ihm steht. Und natürlich alles so dicht gedrängt wie bei den Sardinen. Steht der Nemec so eng neben dem Brenner wie die ganzen Jahre bei der Polizei kein einziges Mal, praktisch daß du sagen kannst: Hautkontakt.

Damit er ja nicht versehentlich nach links zum Nemec schaut, hat der Brenner jetzt ganz starr auf die andere Seite hinübergeschaut, wo der Andi am Arm der handlosen Deutschen gehängt ist. Aber wie lange er auch den Andi anschaut und wie oft ihm dem Andi seine Aussagen in der *Pinzgauer Post* durch den Kopf gehen, es ist nichts dabei, was den Brenner weitergebracht hätte:

«Ich bleib sitzen und wundere mich noch, wieso der Lorenz zu seinem Onkel hinausgeht. Er nimmt den Hahn heraus, aber statt daß er ihn in den Tank des Allrad steckt, richtet er ihn wie eine Pistole auf seinen Onkel. Der ist selber schuld, weil er schon wieder die brennende Zigarette im Mund hat. Steht er natürlich in Flammen. Und dann weiß ich nur noch, wie der Lorenz Feuer fängt und dann der Allrad, und dann sehe ich mich, wie ich auf der Seepromenade renne. Da sind zwar ein paar hundert Meter dazwischen, aber die weiß ich nicht mehr, und dann hör ich schon die Sirene und dann den Krankenwagen.»

«Früher haben ja alle nur die Geranien am Balkon gehabt, weil sie leicht zum Überwintern sind», hört der Brenner jetzt die bekannte Stimme in seinem linken Ohr.

«Jaja, die Geranien. Sind halt heutzutage nicht mehr so schön. Mir geht ja nichts über die Petunien.»

«Ja, schon schön, Petunien. Schön schon. Aber schwer zum Überwintern.»

«Überwintern, wer tut denn das heute noch. Seit wir die Sauna haben, hätte ich ja gar keinen Platz mehr im Keller zum Balkonblumen-Überwintern.»

«Ja, einen guten Platz braucht man. Und sogar dann ist es noch nicht sicher bei den Petunien.»

Jetzt hat der Brenner genau gewußt, daß er diese Stimme kennt. Gut kennt. Aber er ist einfach nicht darauf gekommen, wem sie gehört. Das hat ihn jetzt so nervös gemacht, daß ihm dieser Fehler passiert ist. Will er sich umdrehen, aber auf die falsche Seite. Und natürlich, da kommt er nicht weit, weil da steht ja der Nemec. Schaut er dem Nemec direkt in die Augen. Und der grinst ihn an und fragt:

«Kennst du den?»

Dem Brenner ist vorgekommen, daß der Nemec dabei mit dem Kopf in Richtung Pfarrer deutet, der gerade die Umstehenden mit Weihwasser besprüht. Natürlich hat er den Pfarrer gekannt, ist noch nicht lange hergewesen, hat der ihn auf die Idee mit der Engljähringer gebracht. Aber das flinke Männlein von der Sonntagabendmesse ist heute wie verwandelt gewesen. Mit seiner bleichen, bis auf die Knochen abgemagerten Gestalt und dem schiefen aschblonden Kopf hat er heute ausgesehen wie extra für ein Begräbnis gemacht. Jetzt hat man sich eher gefragt, wie bringt der eine Hochzeit über die Bühne oder etwas Fröhliches, sagen wir, was tut der bei einer Auferstehung.

Aber der Brenner hat die Frage seines Exchefs wieder einmal falsch verstanden. Weil der Nemec hat gar nicht mit dem Kopf zum Pfarrer hinübergedeutet. Eigentlich hätte der Brenner wissen müssen, was der Nemec meint, wenn er fragt:

«Kennst du den?»

Weil das ist so eine Gewohnheit vom Nemec gewesen. Der hat immer den Kopf so eigenartig zurückgeworfen, bevor er einen Witz erzählt hat, daß du geglaubt hast, er muß sich einen vergessenen Witz wieder quasi aus dem Unbewußten hinten ins Gedächtnis vorschütteln.

«Geht eine Frau in einen Sexshop und kauft sich einen Vibrator», sagt der Nemec.

Aber der Brenner schaut demonstrativ weg, zum Pfarrer hinüber.

«Fragt sie den Verkäufer, wie man ihn verwendet, und der sagt, genau wie den Penis des Mannes.»

Der Nemec hat sich nicht einmal die Mühe gemacht zu flüstern. Eine Ministrantin, das ist die Tochter vom Feinkost-Fürstauer gewesen, hat dem Pfarrer jetzt das Weihrauchfaß gereicht. Und der Pfarrer hat mit gravitätischen Bewegungen den Rauch über den ganzen Friedhof verteilt, daß du geglaubt hast, irgendwo brennt eine Tankstelle.

Das mußt du dir so vorstellen: Das Silberfaß hält er an der silbernen Kette hoch über seinem Kopf, und so schwenkt er es. Und jedesmal, wenn das Faß zurückschwenkt, schlägt es an der Silberkette an: «klack – klack – klack – klack», das hast du am ganzen Friedhof gehört, auch wenn du hinten gestanden bist und nichts gesehen hast.

Aber der Brenner hat es natürlich alles gesehen. Nur genützt hat ihm das auch nichts, also daß er demonstrativ zum Pfarrer hinüberschaut, wie ihm der Nemec seinen Witz erzählen will. Der Nemec hat sich davon überhaupt nicht irritieren lassen und sagt jetzt:

«Am nächsten Tag kommt die Frau wieder in den Sexshop und will sich beschweren.»

Die andere Ministrantin hat jetzt dem Pfarrer eine kleine Schaufel gereicht, mit der er ein bißchen Erde auf das Grab vom Lorenz gestreut hat. Und rundherum haben ein paar Leute zu schneuzen angefangen, wie der Pfarrer mit seiner weinerlichen Stimme sagt:

«Bedenke, Mensch, daß du Staub bist und wieder zum Staube zurückkehrst.»

Der Brenner hat aber nicht lachen können über den Witz vom Nemec. Er hat keine Miene verzogen. Er hat nur gesagt:

«Und der Lorenz hat also die beiden Amerikaner in den Lift gesetzt. Da seid ihr euch plötzlich ganz sicher.»

«Ganf ficher!» hat der Bulle immer noch mit dem zahnlosen Mund der Frau aus dem Sexshop geantwortet. Also daß es ausgesehen hat wie keine Zähne, so mit den Lippen über den Zähnen, dabei hat der Nemec ja eh so schmale Lippen gehabt.

Jetzt hat sich der Brenner einen Augenblick lang überlegt, ob er das tun soll, was er in den letzten Jahren sicher ein paar hundertmal gewollt hat. Aber dann hat er den Nemec doch nicht mitten im Begräbnis zusammengeschlagen. Statt dessen sagt er, aber immer noch, ohne dem zahnlosen Weib ins Gesicht zu schauen:

«Das ist jedenfalls schön bequem für euch.»

Jetzt nicht, daß du glaubst, der Brenner hat in dem Moment wirklich daran gezweifelt, sagen wir, daß der Lorenz es gewesen ist. Es war mehr, weil ihm sonst nichts gegen den Nemec eingefallen ist. Weil es ist ja in der *Pinzgauer Post* gestanden, und die Leute haben auch über nichts anderes geredet. Daß der Lorenz seit Jahren diese Briefe geschrieben hat. Heidnische Kirche, das hat ja wirklich nur dem Lorenz seine Idee sein können. Und dann natürlich: daß der Lorenz heuer zu Weihnachten kein Sparbuch vom Vergolder bekommen hat.

Und dann natürlich die Schecks. Der Lorenz hat ein Zeichentalent gehabt, da hat sich der Vergolder verstecken können. Ist ja in der Familie gelegen. So wie bei der Familie Moser wieder alle musikalisch sind, oder beim Metzger Mayr, die machen immer schon den besten Leberkäse. Der Lorenz hat die Unterschrift nachgemacht, da sind den Experten die Augen herausgefallen. Aber jetzt, wie sein Foto in die Zeitung gekommen ist, hat sich eine Bankbeamtin an ihn erinnert.

«Das mit den Briefen habt ihr aber schnell herausgefunden», stichelt der Brenner weiter.

«Eigentlich hätten wir es schon vor einem halben Jahr wissen müssen», sagt der Nemec, «aber leider, wenn man sich auf Mitarbeiter verlassen muß.»

Jetzt natürlich. Das ist damals vor einem halben Jahr dem Brenner sein Job gewesen. Er hat aber jetzt keine Lust mehr gehabt, daß er dem Nemec etwas beweist. Weil der Nemec ist es ja selbst gewesen, der ihn damals aufgehalten hat.

Der Brenner hat nur noch aus dem Friedhof hinauswollen. Aber wie er sich umdreht, wird ihm erst wieder bewußt, daß der Friedhof dermaßen mit Trauergästen vollgestopft ist, daß es aussichtslos ist, jetzt zum Ausgang zu kommen.

Und außerdem. Was hätte es ihm genützt, wenn er aus dem Friedhof hinausgekommen wäre. Er hätte ja nicht gewußt wohin. Weil bevor er sich umgedreht hat, hat er noch das *Café Feinschmeck* im Sinn gehabt. Daß er sich bei der Kellnerin Erni verkriechen könnte.

Aber die Erni ist ja schon bei ihm gewesen. Ernst und

stumm wie ein Ölgötze starrt sie den Brenner an, wie er sich umdreht. Und sie schaut so verzweifelt, daß man glauben hätte können, sie wird einfach nicht fertig mit dem Lorenz seinem Tod oder mit der Frage, wie sie ihre Balkonblumen über den Winter bringen soll.

12

Jetzt natürlich. Hat der Brenner nicht mehr viel zu suchen gehabt in Zell. Über ein halbes Jahr hat er im Zimmer 214 des *Hirschenwirt* gewohnt. Aber jetzt will er nur mehr seinen Bericht schreiben und dann nichts wie weg aus Zell.

Er hat jetzt auch verstanden, warum es sich ausgerechnet dieses Mal so lange gewehrt hat mit dem Bericht. Es muß irgendwie schon in der Luft gelegen sein, daß das sein letzter Bericht für das Detektivbüro Meierling wird, praktisch Abschluß.

Nicht verstanden hat er, wieso er gar so deprimiert in seinem Zimmer sitzt. Seit er um halb fünf vom Begräbnis zurückgekommen ist, sitzt er auf der Bettkante, daß man glauben hätte können, der Schlag hat ihn gestreift, genau in dem Moment, wo er sich hat hinlegen wollen. Und seither hat er das Teppichmuster studiert, und, wie soll ich sagen, es ist kein sehr interessantes Muster gewesen.

Jetzt darfst du eines nicht vergessen. Der Brenner ist so ein Mensch gewesen – wie soll ich dir das erklären. Der Auftrag in Zell hat ihm geholfen, daß er nicht zuviel nachdenken muß. Weil du darfst nicht vergessen, der hat erst vor gut einem halben Jahr bei der Kripo aufgehört, und das ist eine Situation, mit der mußt du erst einmal fertig werden.

Und da haben ihm die Monate in Zell natürlich geholfen, der Zufall, daß er da gleich eine Arbeit hat. Aber das hat nicht ewig so gehen können, und jetzt ist es vorbei gewesen.

Und wie soll ich sagen, vielleicht hat auch die Geschichte mit dem Nemec eine Rolle gespielt, daß er jetzt gar so niedergeschlagen gewesen ist. Daß nicht er den Fall gelöst hat, sondern der Nemec. Also im Grunde genommen: ein halbes Jahr umsonst.

Macht nichts. Das Teppichmuster, das sind so Blumenmotive gewesen, aber mehr wie Zahnräder, also wenn du dir vorstellst: ineinandergreifende Blumen. Und wenn man sie lang genug angeschaut hat, hat man geglaubt, sie drehen sich.

Oder vielleicht ist er auch so deprimiert gewesen, weil es doch eine menschliche Tragödie ist. Und auf einmal ist es ihm zu Bewußtsein gekommen. Der Lorenz. Der Vergolder. Daß man sich wundert, wieso jetzt auf einmal, wieso wird ihm das nicht schon früher bewußt. Aber so ist der Mensch, auf einmal wird es dir bewußt, und du weißt selber nicht wieso.

Vor ein paar Tagen hat er sich noch stundenlang mit dem Lorenz und mit dem Vergolder unterhalten. Und jetzt ist nicht einmal mehr so viel von ihnen übrig, daß man sie ordentlich eingraben kann.

Der Teppich hat eine Farbe gehabt, die kann man fast nicht beschreiben, wie ein Honig, der hart geworden ist. Und die Drehblumen haben im Grunde dieselbe Farbe gehabt, bei Tageslicht hat man sie gar nicht richtig gesehen. Aber beim künstlichen Licht sind sie herausgekommen.

Aber das ist es jetzt nicht gewesen, weil der Brenner hat gar kein Licht eingeschaltet, dazu hätte er sich ja bewegen müssen. Es hat schon gedämmert, und der Brenner hat nicht genau gewußt, ob er die Blumen noch sieht oder ob sie sich schon nur mehr in seinem Kopf drehen.

Die ermordeten Amerikaner sind ihm durch den Kopf gegangen. Was er in dem Schulaufsatz der Clare über sie gelesen hat, es ist alles wieder aufgetaucht. Sogar die Leuchtziffernmalerinnen haben ihm jetzt leid getan, obwohl, die hätten ja sowieso heute nicht mehr gelebt. Und die Zwangsarbeiter, die beim Bau der Staumauer erfroren oder abgestürzt sind.

Wie es eben ist, wenn du heute einen Moralischen hast, dann fällt dir alles zugleich ein, und natürlich nur das

Schlimmste. Und so ist es dem Brenner jetzt gegangen, all diese Bilder sind nach und nach aufgetaucht, unendlich zäh und langsam, aber keines von ihnen ist wieder verschwunden. Und alles zusammen hat sich so langsam und so zäh gedreht, das mußt du dir vorstellen wie eine Waschmaschine, aber in der ist kein Wasser drin, sondern Honig.

Auch die Kellnerin Erni und ihr Balkon haben sich in der Honigwaschmaschine gedreht. Und der Fux Andi hat so traurig aus der Honigwaschmaschine geschaut, daß sich der Brenner gedacht hat: Jetzt stehe ich auf und drehe das Licht auf. Weil es ist jetzt schon ganz finster gewesen. Aber der Brenner hat immer noch gesehen, wie sich die Blumen über den Boden gedreht haben. Und neben dem Fux Andi ist die handlose Deutsche in der Honigwaschmaschine gestanden und hat den Brenner durch ihre zentimeterdicken Bifokalgläser angeschaut.

Jetzt paß auf, da ist es halb acht gewesen. Wie der Brenner dann endlich doch noch in die Gaststube vom *Hirschenwirt* hinuntergegangen ist. Aber hingesetzt hat er sich nicht. Er hat nur eine Packung Zigaretten verlangt, dann hat er sich auf die Straße hinausgestellt und seine erste Zigarette seit acht Monaten geraucht.

Jetzt, jeder der sich mehr als einmal das Rauchen abgewöhnt hat, kennt das. Die erste hat ihm überhaupt nicht geschmeckt, eher gegraust als geschmeckt. Dann die zweite, und die dritte schmeckt dir normalerweise schon wieder wie früher. Aber dem Brenner hat jetzt die dritte immer noch nicht geschmeckt. Da hat er es aufgegeben und ist wieder in den zweiten Stock hinaufgefahren und schlafen gegangen.

Beim Einschlafen hat er sich noch gewundert, daß die ganze Zeit, wie er die drei Zigaretten geraucht hat, kein einziger Mensch auf der Straße vorbeigekommen ist, Auto auch keines, kein gar nichts. Aber natürlich, vielleicht ist das auch schon im Schlaf gewesen, daß es ihm nur im Traum so ausgestorben vorgekommen ist.

Wie er aufwacht, ist es elf. Jetzt mußt du wissen, immer wenn der Brenner mehr als acht Stunden geschlafen hat, ist er mit Kopfschmerzen aufgewacht. Jetzt hat er aber vierzehn Stunden geschlafen. Und genau in dem Moment, wie ihm ein Arzt mit der elektrischen Handstichsäge den Schädel absägen will, wacht er auf. Natürlich gleich ins Klo gekotzt, aber das Kopfweh ist nachher nur noch heftiger gewesen. Möchte man glauben, man kann es hinauskotzen, aber nichts.

Zuerst hat er sich nur gewundert, wieso der Wecker seit Minuten klingelt. Weil er hat ihn ja nicht gestellt gehabt. Und daß es das Telefon ist, hat er erst gemerkt, wie es aufgehört hat zu klingeln.

Wie er dann endlich unter der Dusche steht, klingelt es wieder. Jetzt einerseits andererseits. Einerseits wird er nicht blöd sein und, nur weil das Telefon läutet, die Dusche abdrehen. Weil natürlich, was Besseres gibt es nicht, damit du deinen betonierten Nacken nicht so spürst, da gibt es nur das warme Wasser und sonst nichts. Aber andererseits, das Telefon hat haargenau dasselbe Geräusch gemacht wie die Handstichsäge von dem Doktor, also das muß mehr so eine klingelnde Handstichsäge gewesen sein.

Jetzt wäre Kopfabschneiden natürlich das beste gewesen, das einzige, was wirklich hilft, wenn du so richtig Migräne hast. Da ist Brausen nichts dagegen, gegen Kopfabschneiden. Aber Kopfabschneiden ist die eine Sache, und das Geräusch von der Handstichsäge ist wieder ganz eine andere Sache, weil das Klingeln hat den Brenner jetzt verrückt gemacht. Und er rennt aus der Duschkabine hinaus, ohne sich abzutrocknen, und hebt die Stichsäge ab.

«Scheiß mich an, haben Sie heute eine Stimme!» dröhnt es aus der Stichsäge.

Aber das ist interessant. Bevor der Brenner die Stimme vom Taxler Goggenberger überhaupt erkennt, hat er schon den Virginiagestank in der Nase. Jetzt hat der Brenner natürlich geglaubt, gleich wieder kotzen, aber er hat dann doch gesagt:

«Hm.»

«Sie!»

«Hm?» sagt der Brenner, weil der hat immer noch ein Problem mit seiner Stimme gehabt.

«Da hab ich doch gestern gleich sechs Fuhren zum Friedhof gehabt, hab ich gestern. Scheiß mich an, sechsmal Friedhof an einem Tag. Aber da haben sie doch den Lorenz eingegraben, oder nicht?»

«Mm», sagt der Brenner.

«Ich frag nur, weil ich nicht dort gewesen bin. Ich hab nämlich wollen, aber scheiß mich an, zweiteilen kann ich mich nicht. Ich übernehm eine Fuhr zum Begräbnis, da denk ich mir noch, das ist günstig, da bleibst du dann gleich dort und gehst selber auch hin. Aber bei der Hinfahrt kommt schon der Funk, noch eine Fuhr und noch eine Fuhr und noch eine Fuhr und noch eine Fuhr und noch eine Fuhr und noch eine Fuhr.»

«Hm», wirft der Brenner ein, wie wenn er sagen will, das sind aber jetzt schon sieben Fuhren.

«Deshalb bin ich nicht dort gewesen. Heute hab ich mir freigenommen, weil ich bin ja mein eigener Herr. Fahr ich nach Kaprun hinüber, zum *Seewirt*. Gulasch essen.»

«Hm!» Gulasch essen! Da hat sich natürlich sofort der Brechreiz wieder gerührt beim Brenner.

«Die Wirtin ist eine gute Bekannte. Weil ich fahr ja einmal die Woche mindestens hinüber Gulasch essen.»

Der Brenner hat schon auflegen wollen, weil das Telefonkabel ist nicht lang genug gewesen, sagen wir, daß er gleichzeitig telefonieren und ins Klo kotzen kann. Aber da hört er noch, wie der Taxler sagt:

«Ich frag die Wirtin: Scheiß mich an, wieso bist du denn heute so blaß wie ein gekotztes Grießkoch?»

«Hm.»

«Da sagt die Wirtin, weil ich im Zimmer einen Toten liegen hab. Was für einen Toten, frag ich die Wirtin, aber sie kennt ihn nicht. Ich soll ihn mir einmal anschauen, sagt sie. Scheiß mich an, was glaubst du, wer der Tote dann gewesen ist?»

«Hm?»

«Ja, ob du's jetzt glaubst oder nicht, der Lorenz!»

«Scheißmichan.»

Das ist dem Brenner sein erstes richtiges Wort an dem Tag gewesen. Jetzt mußt du wissen, gegen die Migräne hat der Tabletten gehabt, die sind so stark gewesen, also richtige Bomber. Daß es ihm normalerweise von einer einzigen schon den Magen umgedreht hat. Aber jetzt hat er gleich drei aus der Packung genommen und sie ohne Wasser hinuntergeschluckt.

Dann hat er sich angezogen und ist zum Lift gegangen. Wie er das Wort «Lift» über dem Lift gelesen hat, sind ihm die Toten im Lift eingefallen. Das ist zwar ein Schilift gewesen, aber wie soll ich sagen. Der Brenner hat jetzt jedenfalls die Stiege genommen, schön langsam Stufe für Stufe, daß du geglaubt hast: Rehab-Zentrum.

Der rosarote Chevrolet ist direkt vor dem *Hirschenwirt*-Eingang gestanden. Wie der Brenner die Autotür öffnet, natürlich sofort der bestialische Virginiagestank. Aber nichts, der Brenner hat dem Johnny nicht in den Chevrolet gekotzt.

Er hat sich auf den Beifahrersitz fallen lassen, und der Taxler ist gleich losgefahren. Natürlich genauso langsam wie immer. Aber jetzt ist ihm der Brenner richtig dankbar dafür gewesen. Er sagt:

«Bist du sicher, daß es der Lorenz ist?»

Aber der Johnny hat nur siegesgewiß gelächelt. Eine knappe halbe Stunde hat er für die 15 Kilometer Landstraße gebraucht, dann hat er sich schon vor dem Gasthaus eingeparkt. *Zum Seewirt* hat es geheißen, aber ausgesehen hat es mehr wie eine verlotterte Likörstube.

Da ist es halb zwölf gewesen. Der Brenner war nur froh, daß er endlich aus dem verstunkenen Chevrolet aussteigen kann. Auf dem Parkplatz die Luft ist ihm herrlich vorgekommen, eine herrliche Bergluft, weil der *Seewirt* liegt ja schon ziemlich hoch, so auf fünfzehnhundert Metern wird der schon liegen, und gleich der Wald dahinter. Jetzt hat der Brenner zuerst einmal ein paar tiefe Atemzüge gemacht.

Um so schlimmer natürlich, wie er die Wirtshaustür öffnet. Weil in der Küche haben sie schon wieder das Fett aufgewärmt. Ranzig, hat sich der Brenner gedacht und hat sich in der Gaststube umgesehen. Da ist aber um die Zeit noch kein Mensch gesessen. Aber noch bevor sich der Brenner und der Taxler hingesetzt haben, sind schon hastige Schritte über den Gang gekommen. So Schritte, wie wenn eine Frau mit Schlapfen über einen Steinboden schlurft. Außer den Schlapfen hat die Wirtin eine weiße Kleiderschürze angehabt, die sie wahrscheinlich nur jeden Samstag wechselt. Und wie gesagt, es ist Freitag gewesen.

Jetzt fragt sie nicht einmal, ob die beiden etwas trinken möchten, sondern muß sofort die ganze Geschichte loswerden. Weil natürlich, sie hat Angst gehabt, daß man ihr etwas anhängen will. Sie ist vor dem Tisch stehengeblieben und hat den Brenner die ganze Zeit ängstlich angeschaut, wie sie erzählt hat.

«Wir haben Sperrstunde um zwölf. Aber oft, wenn nichts los ist, sperren wir schon um zehn oder elf zu, wann eben der letzte Gast gegangen ist. Das Geschäft geht nicht gut hier heroben. Seit mein Mann tot ist, ist es jedes Jahr schlechter geworden. Nur im Winter, weil die Schifahrer vorbeikommen, geht es halbwegs. Im Sommer schlecht, und jetzt gar nicht. Nur ein paar Kartenspieler.»

Jetzt darfst du nicht vergessen, daß der Brenner noch nichts gefrühstückt hat, nicht einmal einen Kaffee. Aber er hat die Frau auch nicht unterbrechen wollen, also fischt er sich einfach den Brotkorb von der Anrichte herüber, weil gleich neben ihrem Tisch ist eine Anrichte gewesen. Die alte, trockene Brotscheibe von gestern ist jetzt genau das richtige für ihn gewesen.

«Gestern sind die Kartenspieler aber länger gesessen, der Fulterer, der ist Forstgehilfe, und der Ingenieur Brokal vom Kraftwerk und der Bankdirektor und der Fandl vom Geschäft unten. Die sind jeden Mittwoch hier und tarockieren. Normalerweise so ungefähr von acht bis zehn, aber diesen Mittwoch ist ein Fußballspiel gewesen, das haben sie sich hier angeschaut, ein paar andere sind auch noch dagewesen, weil heute haben sie zwar alle einen Fernseher, aber ein paar schauen immer noch lieber im Gasthaus.

Wie das Spiel aus war, sind die anderen gegangen, und der Ingenieur Brokal und der Fulterer haben auch schon gehen wollen. Aber der Bankdirektor will noch tarockieren, weil der ist schon in Pension und muß nicht auf in der Früh. Und da sind sie doch noch geblieben.

Um elf ist noch der Leitinger gekommen, der war betrunken und hat sich noch ein Bier bestellt. Gegen halb zwölf hör ich noch ein Auto vorfahren. Dann kommt ein Mann herein, den hab ich noch nie gesehen. Er ist so weiß im Gesicht. Daß ich ihn schon fragen will, was er hat. Und die Kartenspieler haben auch geschaut. Aber bevor ich noch dazu gekommen bin, daß ich was sage, hat er sich schon einen doppelten Obstler bestellt und ex hinunter. Dann noch einen Doppelten und noch einen. Der Leitinger, selber besoffen, hat zu ihm gesagt: Du hast aber einen Durst.

Aber der Fremde hat es gar nicht gehört. Daß du geglaubt hast, der hört und sieht nichts, was rund um ihn passiert. Dann noch einen Doppelten und wieder ex hinunter. Kurz nach zwölf hören die Kartenspieler auf und wollen gehen. Ich kassiere, auch beim Leitinger, und dann bin ich auch zu dem Fremden hin und hab gesagt, daß wir jetzt zusperren. Da hat er gesagt, er geht gleich, aber vorher möchte er noch eine Flasche Rum. Ich hab mir gedacht, er will sie mitnehmen, die

Rumflasche, kommt ja öfter vor, daß Leute hereinschneien, weil sie einkaufen vergessen haben, und sich eine Flasche Wein oder ein paar Bier zum Mitnehmen kaufen.

Die anderen haben nachher auch gesagt, daß sie nicht geglaubt haben, daß der die Rumflasche gleich an den Mund setzt und in einem Zug hinunterleert. Daß du geglaubt hast: Wasser. Und nicht Rum. Achtzigprozentiger.

Wir sind alle um ihn herumgestanden, und gesagt hat jetzt keiner ein Wort. Aber gedacht, glaub ich jetzt im nachhinein, haben wir alle mehr oder weniger dasselbe. Aber ausgesprochen hat es nur der Leitinger, wahrscheinlich weil er selber betrunken war.

Zuerst stehen wir alle stumm da, auch der Leitinger, mindestens noch eine ganze Minute, nachdem der Fremde die Rumflasche ausgetrunken hat. Ein Dreiviertelliter Achtzigprozentiger ist das gewesen. Wir haben ihn nur angeschaut und darauf gewartet, daß er endlich umfällt. Aber er ist nicht umgefallen. Und da hat der Leitinger gesagt, ich glaub, der ist ein Geist.

Jetzt am hellichten Tag klingt das blöd, aber in dem Moment hab ich mich wirklich gefürchtet, daß der ein Geist ist, weil der einfach nicht umgefallen ist. Und den Mannsbildern ist er auch immer unheimlicher geworden, wie er dasteht neben seiner leeren Rumflasche und nicht umfällt. Und da fragt er mich, ob wir auch Zimmer haben. Ganz normal, nicht daß der gelallt hätte oder eine schwere Zunge. Ganz normal fragt er, ob wir auch ein Zimmer haben.

Ja, sag ich, Zimmer haben wir schon, obwohl ich mich gefürchtet hab, aber andererseits bin ich froh gewesen, daß er überhaupt noch was sagt.

Die Männer sind dann gegangen, ganz wohl ist ihnen auch nicht gewesen, das hat man ihnen angesehen. Und ich hab dem Fremden sein Zimmer im ersten Stock gezeigt. Er ist hinter mir hergegangen, vielleicht ein bißchen unsicher auf den Beinen, aber nicht viel, daß man es vielleicht merkt, wenn man es weiß, aber überhaupt nicht tragisch. Ich sag gute Nacht, und er sagt auch gute Nacht, und dann bin ich schlafen gegangen und hab zweimal hinter mir zugesperrt. Zuerst hab ich nicht einschlafen können, aber weil ich überhaupt nichts mehr gehört hab von dem Fremden, bin ich dann doch eingeschlafen.

Wie er sich dann in der Früh nicht gleich rührt, hat es mich zuerst nicht gewundert. Daß der seinen Rausch ausschläft. Ist es doch kein Geist gewesen, hab ich mir noch gedacht, wenn er einen Rausch auch ausschlafen muß. Aber dann bin ich doch nachschauen gegangen. Da ist er tot auf dem Boden gelegen. Hat es nicht einmal mehr bis ins Bett geschafft.»

Der Brenner hat sein Brot noch nicht aufgegessen gehabt, hat aber jetzt gleich von der Wirtin verlangt, daß sie ihm den Toten zeigt. Er ist hinter ihr über die knarrende Holzstiege in den ersten Stock hinaufgegangen. Und wie die Wirtin die Zimmertür aufgesperrt hat, hat es ihn gar nicht mehr gewundert, daß der Tote wirklich der Lorenz gewesen ist.

«Ich hab geglaubt, daß er die Rumflasche nur mitnehmen will», sagt die Wirtin.

«Jaja», sagt der Brenner. Sie hat sich vor der Polizei gefürchtet, und das ist natürlich für ihn jetzt günstig gewesen. Weil er hat ja noch ein paar Stunden gebraucht.

«Sperren Sie das Zimmer wieder zu», sagt er, und dann gehen die beiden wieder die Holzstiege hinunter, aber jetzt ist er vorausgegangen und die Wirtin hintennach. Aber interessant. Beim Hinuntergehen hat die Stiege viel weniger geknarrt als beim Hinaufgehen. Unten hat schon der Taxler gewartet, weil natürlich, der mit seinen 120 Kilo ist nicht noch einmal die Stiege hinaufgegangen. Aber der hat jetzt seinen Triumph gehabt, weil der Brenner es ihm zuerst nicht geglaubt hat, das mit dem Lorenz.

«Und reden Sie mit keinem darüber. Am allerwenigsten mit der Polizei. Ich bin am Abend wieder da», sagt der Brenner am Parkplatz draußen noch zu der Wirtin.

Und wie er wieder im Taxi sitzt, fragt er den Johnny: «Weißt du, wo der Fux Andi wohnt?»

Der Johnny hat nicht ja und nicht nein gesagt, aber so gut hat der Brenner ihn jetzt schon gekannt, daß er gewußt hat: Das heißt «ja».

«Wieso fährst du eigentlich so langsam?»

«Ich fahr ganz normal.»

Jetzt natürlich – der Brenner hat immer noch seine Kopfschmerzen gehabt. Und mit jedem Meter, den der Johnny dahinschleicht, ist ihm vorgekommen, daß sich seine Kopfschmerzen verdoppeln. Er hat nervös mit den Fingern auf das Handschuhfach geklopft, das ist aus Holz in Johnny seinem alten Chevrolet, aber das Klopfen hat nichts genützt, und da sagt der Brenner.

«Um Gottes willen, fahr ein bißchen schneller!»

«Ich bin nicht die Feuerwehr», sagt der Taxler, zieht eine halbgerauchte Virginia aus seiner Sakkotasche und zündet sie an.

Jetzt hat der Brenner aber gewußt, daß er nur ein paar Stunden Zeit hat, weil wenn er gegen Abend nicht zurück ist, wird die Wirtin aus lauter Angst doch noch zur Polizei laufen.

«Ich sag es dir jetzt zum letztenmal im guten, daß du schneller fahren sollst!» schreit der Brenner.

Jetzt aber verlangsamt der Taxler Johnny Goggenberger noch demonstrativ sein Tempo.

«Und ich sag dir jetzt zum letztenmal im guten, daß mein Chevy in 23 Jahren nicht über 70 gefahren ist und heute auch nicht.»

Jetzt ist das aber nur die halbe Wahrheit gewesen. Weil kurz darauf haben Augenzeugen den rosaroten Chevrolet mit weit über hundert in Richtung Zell rasen gesehen.

Die haben sich gewundert, weil dem Johnny seine Fahrweise weit und breit bekannt gewesen ist. Und sie haben ja nicht wissen können, daß der Brenner neben ihm sitzt und seine nagelneue *Glock* auf den Taxler richtet. Jetzt ist der Brenner natürlich froh gewesen, daß er vorgestern doch noch einmal auf einen Sprung beim jungen Perterer vorbeigeschaut hat.

«Scheiß mich an, das wird dir noch einmal leid tun», sagt der gemütliche Chauffeur.

«Wenn du noch einmal ‹scheiß mich an› sagst, drück ich ab.»

In der anderen Hand hat der Brenner schon das Autotelefon gehabt und über die Auskunft dem Andi seine Telefonnummer erfragt. Aber es ist dann nur seine Mutter da, und natürlich: keine Ahnung, wo der Andi ist.

«Neues Fahrtziel Preußenstadl», sagt der Brenner zum Johnny, immer noch mit der Pistole in der Hand. Nach ein paar Minuten ist der Chevrolet da gewesen.

«Schau, so geht's auch, Johnny», sagt der Brenner und steigt aus.

«Du bist ein Spinner, scheiß mich an!» sagt der Johnny und fährt so rasant los, als hätte er es gar nicht bemerkt, daß ihn kein Mensch mehr mit einer Pistole bedroht.

13

Der Preußenstadl hat zwar ausgesehen wie eine Almhütte, aber nicht, daß du glaubst: primitiv. Weil der hat vier Stockwerke mit 52 Wohnungen gehabt, also innen topmodern mit zwei Aufzügen. Und da hast du nie lange warten müssen, bis der Aufzug kommt, weil wenn der eine ganz oben gewesen ist im vierten Stock und du hast im Parterre gewartet, ist dafür der zweite Lift dahergekommen.

Aber der Brenner hat jetzt nicht den Lift genommen. Die Handlose hat zwar im dritten Stock gewohnt, aber irgendwie hat der Brenner an diesem Tag was gegen Lifte gehabt, du darfst ja nicht vergessen: Kopfweh und dann die ganze Aufregung, da geht einer vielleicht lieber zu Fuß, bevor er in einen Lift steigt.

Die Deutsche hat eine ostseitige Garçonnière im dritten Stock bewohnt. Die Haustür vom Preußenstadl hat sie ihm mit dem Summer geöffnet, praktisch im selben Augenblick, wie der Brenner die Klingel gedrückt hat. Er hat sich gewundert, daß sie nicht einmal fragt, durch die Sprechanlage, wer es ist, sondern einfach den Summer drückt. Aber natürlich. Er hat nicht gewußt, daß der Preußenstadl-Eingang mit einer Kamera überwacht wird. Möchte man glauben, ein Detektiv muß so was bemerken, aber hat er so wenig damit gerechnet, daß hinter dem Hirschgeweih eine Kamera steckt, daß er es nicht bemerkt hat.

Jetzt, wie er in den dritten Stock hinaufkommt, sieht er schon, daß eine von den Wohnungstüren nur angelehnt ist, also praktisch: Komm herein. Er klopft aber kurz an, mehr formhalber, und dann geht er hinein. Jetzt ist er natürlich nicht überrascht, daß die Deutsche nicht allein ist. Weil er ist ja hergekommen wegen dem Andi, und so hat es ihn auch nicht überrascht, daß der Andi da ist. Aber er hat nicht erwartet gehabt, daß außer dem Andi und der Deutschen noch wer da ist. Und der Andi hat schon verschreckt ausgesehen, aber die Clare Corrigan ist so blaß gewesen: Weiß ist nichts dagegen.

Das Licht kann es aber nicht gewesen sein, weil die Deutsche hat ganz normal ausgesehen, und wenn man bedenkt: eine alte Frau, hat die sogar recht gesund ausgesehen.

Jetzt hat die Deutsche einen gläsernen Couchtisch in ihrem Wohnzimmer gehabt, und um den sind die drei herumgesessen und haben geschaut, wie der Brenner bei der Wohnungstür hereinkommt. Weil die Tür zwischen dem Vorraum und dem Wohnzimmer ist ganz offengestanden. Der Vorraum hat einen grauen Plastikboden gehabt, und das Wohnzimmer ist mit einem flauschigen weißen Teppichboden ausgelegt gewesen. Das ist dem Brenner wieder aufgefallen, das mit der Kamera fällt ihm nicht auf, aber ein Teppichboden fällt ihm wieder auf.

«Sie können die Schuhe ruhig anlassen», sagt die Deutsche.

Weil natürlich hat sie sein Zögern bemerkt. Einerseits hat es ihm widerstrebt, mit den Straßenschuhen auf den weißen Teppich. Aber andererseits. Das Wohnzimmer in Socken betreten, das wäre ihm in dem Moment wie der Beitritt zur Heidnischen Kirche vorgekommen.

«Nehmen Sie doch Platz!» sagt die Deutsche freundlich, nachdem er ein paar zaghafte Schritte über den weißen Teppich gemacht hat, und der ist so weich gewesen, daß man richtig eingesunken ist.

Jetzt ist das eine richtige Wohnlandschaft rund um den gläsernen Couchtisch gewesen, also Platz genug. Auf einer Bank ist die Deutsche gesessen und neben ihr der Andi, also so, daß sie zur Tür geschaut haben, durch die der Brenner hereingekommen ist. Die Clare ist mit dem Rücken zur Fensterfront gesessen, weil gegenüber der Fensterfront ist der

Fernseher gelaufen, aber ohne Ton. Er hat kurz überlegt, wie die Clare reagieren würde, wenn er sich direkt ihr gegenüber hinsetzt, und zwar so, daß sie den Fernseher nicht mehr sieht. Aber dann hat er gesagt:

«Ich stehe lieber.»

«Möchten Sie etwas trinken?»

Von den Migränetabletten hat er immer einen furchtbaren Durst bekommen, da hat er oft an einem Tag fünf, sechs Liter Wasser getrunken. Und heute gleich drei Tabletten und praktisch noch kein Wasser getrunken, da kannst du dir vorstellen, was für einen Durst er gehabt hat.

«Nein, danke. Keinen Durst.»

Jetzt ist die Deutsche ein bißchen ärgerlich geworden, auf so eine Art, die der Brenner noch nie gemocht hat:

«Setzen Sie sich doch!»

Er hat diesen Ton einfach nicht leiden können. Wenn ihm jemand so aufgebracht gekommen ist. Und besonders wenn es eine alte Frau gewesen ist, da ist er besonders empfindlich gewesen, vielleicht psychologisch.

Früher haben die Erwachsenen immer diesen selbstgerechten Ton gehabt, wenn sie etwas wegen der Haare gesagt haben, wie der Brenner noch lange Haare gehabt hat, also sechziger Jahre. Dieses unterdrückte Aufbrausen hat ihn jetzt momentan daran erinnert. Daß es nicht natürlich ist, wenn du nicht zum Frisör gehst.

Das ist lange hergewesen. Vor über 20 Jahren hat er sie sich abschneiden lassen. Am Anfang haben ihn die Leute nicht wiedererkannt. Sogar die besten Freunde haben eine Schrecksekunde gebraucht, bis sie ihn identifiziert haben.

«Ich stehe lieber.»

«Wie Sie wollen. Warum sind Sie denn – was macht mir denn die Ehre? Kann ich Ihnen irgendwie helfen?»

«Es geht eigentlich nicht um Sie.»

Jetzt schaut der Brenner den Andi neben der Deutschen an und sagt:

«Es tut mir leid. Aber der Lorenz ist tot.»

Jetzt natürlich die Deutsche, heiliger Zorn:

«Wollen Sie uns quälen? Zwei Tage nach dem Begräbnis müssen Sie schon Scherze darüber machen?»

Weil sie hat es nicht wissen können. Aber der Andi natürlich, den hast du jetzt fast nicht mehr gesehen, so ist er in der Couch versunken. Weil die Wohnlandschaft ist beige gewesen, und der Andi ist jetzt auch so beige gewesen, daß er sich fast nicht mehr von der Wohnlandschaft abgehoben hat. Nur seine wasserblauen Augen haben um so erschrockener aus der Wohnlandschaft herausgestarrt.

Tschechenaugen, hat der Brenner bei sich gedacht und gesagt:

«Gestern nacht ist der Lorenz in einem Kapruner Gasthaus aufgetaucht. Hat sich mit einer Flasche Rum vergiftet. Und heute früh hat ihn die Wirtin tot aufgefunden.»

Aber die Deutsche hat es nicht glauben wollen:

«Und wer hat ihn identifiziert?»

«Ich», sagt der Brenner.

«In welchem Gasthaus denn?» sagt die Deutsche. Aber jetzt ist sie schon nicht mehr so resolut gewesen.

«Eigentlich wollte ich was fragen», sagt der Brenner.

Der Andi hat nur stumm genickt. Weil natürlich, der Andi hat gewußt, was jetzt kommt.

«Willst du lieber mit mir allein reden?» sagt der Brenner.

Nein, deutet der Andi.

«Du hast allen erzählt, daß der Lorenz zusammen mit dem Vergolder verbrannt ist. Obwohl du genau gesehen hast, daß der Lorenz davongekommen ist.»

Der Brenner hat dem Andi in die Augen geschaut. Also, wie zwei hellblaue Druckknöpfe, die im Abstand von ein paar Zentimetern in die beige Rückenlehne der Couch genietet sind. Aus seinen Augen hätte man nicht das geringste Zeichen ablesen können, wann der Andi sich entschließt, etwas zu sagen. Aber auf einmal sagt er:

«Der Lorenz ist mit mir zum See hinuntergelaufen. Ich hab gesagt, wir stellen es als Unfall hin. Oder besser gesagt: Es ist ja wahr! Der Vergolder ist selber schuld gewesen, sag ich zum Lorenz. Wenn er mit einer Zigarette im Mund tankt. Das werden alle so sehen, sag ich. Die Polizei, die Versicherung, alle sehen das so, sag ich. Wir müssen nur genau dasselbe aussagen, sag ich zum Lorenz. Daß der Vergolder –»

Wie der Andi an der Stelle verstummt ist, hat der Brenner nicht geglaubt, daß er noch einmal was sagt. Weil er hat geglaubt, der löst sich jeden Augenblick in der Wohnlandschaft auf, und nur die gläsernen Druckknöpfe in der beigen Rückenlehne bleiben über. Aber dann hat der Andi gesagt:

«Der Lorenz hat nichts davon wissen wollen. Er hat mich angeschrien, daß ich das mit dem Unfall auf keinen Fall sagen darf. Weil es unbedingt alle wissen müssen, daß er mit dem Vergolder abgefahren ist. Absichtlich abgefahren. So wie mein Chef immer schreit, wenn ihn ein Kunde ärgert: Mit dir werde ich abfahren. Hat der Lorenz geschrien, ich muß es jedem sagen, daß er absichtlich mit seinem Onkel abgefahren ist.»

«Und wieso hast du das nicht getan?»

«Aber ich hab es doch von Anfang an gesagt! Jedem hab ich es gesagt, daß es der Lorenz absichtlich getan hat.»

Der Andi hat sich in der Wohnlandschaft aufgerichtet, daß man hätte glauben können, er muß sich deswegen rechtfertigen, nämlich vor dem Lorenz, nicht vor dem Brenner, weil er falsch ausgesagt hat.

«Und daß der Lorenz verbrannt ist? Ist das auf deinem Mist gewachsen?»

«Um den Vergolder ist es nicht schade. Um den Lorenz ist es schade.»

Das ist jetzt schon wieder die Deutsche gewesen, die sich da eingemischt hat. Sie hat ihre dicke Brille abgenommen und mit den Armstümpfen ihre Augen gerieben. Weil natürlich, sie hat genauso ihre Augen reiben wollen wie jeder andere auch, wenn er müde ist. Aber der Mensch ist bei so was oft komisch, und dem Brenner ist es jetzt unangenehm gewesen, daß er ihr dabei zuschaut.

Fünf-, sechsmal hintereinander hat sie genau dieselbe Bewegung gemacht. Mit dem rechten Armstumpf mit aller Kraft über die Stirn, und dann von der Außenseite zur Nase hin über das Aug gestrichen, daß du geglaubt hast, sie will sich das Aug in den Schädel hineindrücken. Dann wieder über die Stirn und über das andere Aug.

Wie gesagt, es ist dem Brenner unangenehm gewesen, aber trotzdem hat er unmöglich wegschauen können. Jetzt paß auf, das ist nicht wegen der Armbewegungen gewesen, also wegen der Armstümpfe, sondern das ist wegen der Augen von der Deutschen gewesen. Er hat ja zum erstenmal überhaupt ihre Augen richtig gesehen, weil für normal sind die ja immer von den dicken Bifokalgläsern riesengroß vergrößert und verzerrt gewesen, daß du geglaubt hast: ein Fisch oder wie man es im Naturmuseum manchmal sieht, quasi ausgestorbene Tiere.

Natürlich hat die Deutsche in Wirklichkeit viel kleinere Augen gehabt. Aber das ist es nicht gewesen. Irgend etwas hat den Brenner an ihren Augen gestört. Aber er hat sich jetzt gedacht, vielleicht ist es nur die Lebendigkeit im Vergleich zu den gläsernen Puppenaugen vom Andi.

Dann hat sie ihre Brille wieder aufgesetzt und leise gesagt:

«Das würde euch so passen. Dem Lorenz den Mord an den Amerikanern in die Schuhe schieben.»

«So sieht es jedenfalls die Polizei.»

«Und wie sehen Sie es?»

«Wie sehen denn Sie es?» fragt der Brenner. Aber nachgedacht hat er über etwas ganz anderes. Oder besser gesagt, nicht nachgedacht. Das mußt du dir vorstellen, wie wenn dir ein Wort auf der Zunge liegt. Und es fällt dir einfach nicht ein, obwohl du spürst, es liegt dir schon auf der Zunge. Nur daß es nicht ein Wort gewesen ist, nach dem der Brenner gesucht hat.

Jetzt natürlich, das ist leicht gesagt, wie die Leute immer sagen: Nicht dran denken, dann fällt es dir ein. Weil wie sollst du nicht dran denken, wenn du es unbedingt wissen willst. Und dem Brenner ist es genauso gegangen, er hat gar nicht anders gekonnt, als ununterbrochen durch die dicken Bifokalgläser in die Augen der Deutschen zu starren.

Aber nicht, daß du glaubst, es ist etwas Fremdes gewesen, das ihn so beschäftigt hat. Sondern etwas Vertrautes ist es gewesen. Das ihn so, wie soll ich sagen: beunruhigt hat. Oder soll ich sagen: Angst eingejagt. Aber es sind keine Worte gewesen, die er jetzt auf seiner Zunge gesucht hat. Also praktisch kann es gar nicht seine Zunge gewesen sein, auf der er gesucht hat. Es ist ihm nicht auf der Zunge, sondern quasi auf dem Aug gelegen, weil es ist ja ein Bild gewesen, nach dem er die ganze Zeit gesucht hat. Aber was für ein Bild? Nicht dran denken, nicht dran denken.

«Der Vergolder», sagt die Deutsche. Weil das ist natürlich ihre Antwort auf seine Frage gewesen, wer die Amerikaner denn ihrer Meinung nach umgebracht hat. Aber das ist nur die alte Leier gewesen, die den Brenner jetzt überhaupt nicht interessiert hat.

Aber jetzt paß auf. Weil einen Moment lang, also das ist vielleicht nur wie bei einem Abfahrtslauf gewesen, wenn der Sieger eine Tausendstelsekunde Vorsprung hat, nur so eine Tausendstelsekunde lang hat der Detektiv jetzt an etwas ganz anderes gedacht.

Wie er das erste Mal mit einer U-Bahn gefahren ist. Da ist er 18 gewesen, da ist er nach der Matura nach London gefahren. Und wenn man in einer Station gewartet hat, dann hat man gewußt, jetzt kommt die U-Bahn, noch bevor man sie gesehen oder gehört hat. Weil da hast du schon eine Station vorher den Luftzug gespürt, weil die U-Bahn praktisch ein Luftpolster vor sich hergeschoben hat.

«Sagen Sie das noch einmal», sagt der Brenner.

«Der Vergolder», sagt die Deutsche noch einmal.

«Ich hätte eine Bitte», sagt der Detektiv.

«Wenn ich Ihnen helfen kann», sagt die Deutsche, und sie hat dabei sogar noch gelächelt.

«Würde es Ihnen etwas ausmachen, wenn Sie Ihre Brille noch einmal abnehmen?»

Jetzt, an und für sich wäre das nicht auffällig gewesen, daß die alte Frau so viele Falten um ihre Augen gehabt hat. Aber das ist so ein richtiger Strahlenkranz gewesen. Und das hat den Brenner jetzt an die Millionen feiner Krähenfüße erinnert, die seine Tante Klara im Alter auf der Oberlippe bekommen hat.

Die hat hartnäckig jedem erklärt, daß das vom Rauchen kommt, weil sie ist eine starke Raucherin gewesen, und sie hat sich eingebildet, wenn man zieht bei der Zigarette, da bilden sich diese Ziehharmonikafältchen auf der Oberlippe. Aber dann hat auch ihre Halbschwester im Alter genau die gleichen Falten bekommen, und das ist Brenners Mutter gewesen, und die hat ihr Leben lang nie geraucht.

Und jetzt sagt der Brenner zur Handlosen:

«Ich habe immer geglaubt, das ist von der Augenoperation gekommen. Die Augen von Ihrem Bruder sind immer so zusammengekniffen gewesen, als würde er in die Sonne schauen. Und Millionen Krähenfüße um die Augen. Ich habe automatisch geglaubt, das kommt von der Operation.»

«Nein, nein, das kommt nicht von der Augenoperation», hat jetzt die Schwester des Vergolders ganz ruhig gesagt, «das liegt bei uns in der Familie. Unsere Mutter hat auch so einen Kranz um die Augen gehabt, nicht erst im Alter, schon so ab vierzig. Eine ledrige, faltige Haut, wie ein ausgetrockneter Lederapfel. Kennen Sie Lederäpfel?»

«Sie sind, fast fünfzig Jahre nachdem Sie aus Zell verschwunden sind, zurückgekommen. Nur um sich an Ihrem Bruder zu rächen.»

Der Brenner hat sich selber gewundert, wie seine Stimme dabei gezittert hat. Als hätte er Angst, daß die unübersehbare Ähnlichkeit der Handlosen mit ihrem Bruder, dem Vergolder, sich mit einem Schlag wieder auflöst.

«Lederäpfel haben eine ledrige, dicke Haut. Oft sagen die Leute auch Kochäpfel dazu, weil man sie kocht und für Kompott verwendet. Oder für Apfelstrudel. Aber wenn man sie schält, schmecken sie auch roh sehr gut.»

«Haben Sie denn keine Angst gehabt, daß man Sie in Zell wiedererkennt?»

Jetzt ist die Handlose aufgestanden und zum Fernseher hinübergegangen. Über dem Fernseher ist noch ein Bücherbrett gewesen, und auf dem ist ein kleiner Fotorahmen gestanden.

Jetzt kennst du das vielleicht, wenn man in die Wohnung zu alten Leuten kommt, und da hängen überall diese uralten Schwarzweißfotos herum: der Großvater vom Großvater, im Ersten Weltkrieg oder noch früher, oder diese retuschierten Porträts, daß du glaubst, Jahrhunderte alt.

«Sehen Sie, so sah ich aus, als sie mich fortgetrieben haben. Erkennen Sie irgendeine Ähnlichkeit mit mir?»

Der Brenner hat nicht gewußt, was er sagen soll. Aber die Handlose hat immer noch was zu sagen gewußt:

«Man hätte mich in Zell nicht einmal wiedererkannt, wenn ich nicht fünfzig Jahre älter und fünfzig Kilo schwerer gewesen wäre. Wenn ich genau wie damals ausgesehen hätte, hätte mich kein Mensch wiedererkannt. Das Vergessen ist eine Gnade, müssen Sie wissen. Und diese Gnade hat der liebe Gott den Zellern im Übermaß erwiesen.»

«Und Ihr eigener Bruder? Sie sind ihm doch begegnet?»

«Wie gesagt: eine Gnade.»

«Aber Sie haben keine Gnade gekannt. Ihr Heimattheater, das haben Sie nicht im Theater aufgeführt.»

«Sondern in der Heimat», sagt die Schwester vom Vergolder, als würde sie das Normalste auf der Welt sagen.

«Und mit richtigen Menschen haben Sie es aufgeführt.

Der Lorenz und die Clare und der Andi sind Ihre Marionetten gewesen. Die haben gar nicht gemerkt, daß Sie das Heimattheater schon längst mit ihnen aufführen. Daß Sie nur ein paar nützliche Idioten gebraucht haben, die sich leicht gegen den Vergolder aufhetzen lassen.»

«Zuerst wollte ich ihn ja nur ein bißchen ärgern. Gab ich Elfi das Buch über die Leuchtziffern zu lesen. Sehr interessant. Sie identifizierte sich dann sehr stark mit der verstorbenen Ziffernmalerin Clare Corrigan. Und dann die Idee mit dem Heimattheater. Lorenz und Andi waren ganz wild darauf, es dem Vergolder zu zeigen.»

«Im Theater. Nur daß Sie sich ganz wirklich an den Schwiegervater des Vergolders herangemacht haben.»

«Nein, nein, der Amerikaner hat sich schon an mich herangemacht.»

Der Brenner hat nicht verstanden, wieso es ausgerechnet jetzt bei ihm scheppert, also das mußt du dir vorstellen wie einen Geldautomaten, der alle Münzen auf einmal ausspuckt. Wie sein Hirn jetzt auf einen Schlag all die Erklärungen ausspuckt, hinter denen er ein Dreivierteljahr umsonst hergewesen ist. Aber das ist wieder typisch für mich, hat sich der Brenner gedacht. Jetzt, wo es zu spät ist, wo mir die Augen von der Handlosen sowieso alles gesagt haben, jetzt fallen mir erst die Dinge auf, die jedem anderen schon viel früher aufgefallen wären.

Aber da ist er ungerecht zu sich selber gewesen. Weil wer weiß, ob ihm das mit den Augen aufgefallen wäre, wenn er nicht die anderen Dinge schon irgendwo im Hinterkopf gehabt hätte. Und er sagt jetzt zu der Handlosen:

«Ich hab mir schon einmal gedacht: Die Ferngläser, die der Amerikaner beim jungen Perterer gekauft hat, können nicht die ganze Überraschung zum sechzigsten Hochzeitstag gewesen sein. Und schon früher hab ich mir einmal gedacht, das gibt es doch nicht, die müssen freiwillig in den Lift gestiegen sein.»

Aber in so einem Dreivierteljahr, da denkst du dir natürlich viel. Und er ist sich jetzt selber nicht sicher gewesen, ob er sich das mit dem Vormachen auch schon einmal gedacht hat. Ihm ist vorgekommen, als wäre es ihm schon die ganze Zeit im Kopf umgegangen. Er hat ja gewußt, daß sich die Amerikaner beim Schifahren kennengelernt haben. Jetzt hat er es sich natürlich ganz leicht zusammenreimen können:

«Der Amerikaner kauft die Ferngläser, weil er seiner Frau zum Hochzeitstag ein nächtliches Vormachen im Schilift schenken will. Er beauftragt Sie, das Schauspiel mit Ihrer verhinderten Heimattheatergruppe aufzuführen. Und damit die beiden im Einzelsessellift nebeneinander sitzen können, steigt sie bei der Bergstation und er bei der Talstation unten ein, damit sie sich in der Mitte treffen. Nur daß dann Sie mit Ihrer Vormachtruppe nicht aufgetaucht sind. Sondern die beiden Achtzigjährigen in ihren Logenplätzen zwanzig Meter in der Luft einfach sitzengelassen haben.»

Aber die Handlose jetzt ganz bestimmt:

«Lorenz, Clare und Andi haben gar nichts getan. Ich redete dem Amerikaner doch ein, daß das die größte Show sei, wenn seine Frau mit dem Lift herabfährt, und durch das Fernglas erblickt sie ihn, wie er auf sie zufährt. Und in dem Moment, wo sie auf einer Höhe sind, bleibt der Lift stehen. Wie von Geisterhand.»

«Und dann ist er gestanden, der Lift. Und eigentlich haben dann auch Sie gar nichts getan.»

«Gar nichts», lächelt die Handlose.

Jetzt Ende September fast 30 Grad. Ist dem Brenner momentan ein bißchen kalt geworden. Hat es ihm momentan die Frage verschlagen, wieso ausgerechnet die Amerikaner zum Handkuß gekommen sind. Wieso nicht der verhaßte Bruder selbst? Aber es gibt Momente, da fallen dir Dinge ein, da fällt dir sonst oft in Wochen und Monaten nicht so viel ein wie in diesen Momenten. Und der Brenner sagt jetzt:

«Die Amerikaner sind doch deshalb so begeistert von diesem Vormachen gewesen, weil ihnen das damals nach dem Krieg bei der Hochzeit ihrer Tochter mit dem Vergolder so gefallen hat. Sie haben mir doch erzählt, daß der Vergolder damals beleidigt gewesen ist. Wegen dieser Geschichte mit der Krankenschwester. Aber diese Schwester, auf die die Zeller Vormacher da angespielt haben –»

«– natürlich keine Krankenschwester war. Sondern einfach eine Schwester», hat die Schwester vom Vergolder jetzt ganz ruhig ergänzt. Und dann hat sie gesagt:

«Der Amerikaner hat mir eingetrichtert: Es muß genauso amüsant sein wie diese Geschichte damals mit der Schwester. Und wie sonst hätte ich es genauso amüsant machen sollen?»

Jetzt ist der Brenner natürlich froh gewesen, daß er keine Antwort geben muß. Die handlose Schwester des Vergolders hat sich wieder auf ihren Platz gesetzt. Das Foto hat sie vor sich auf den gläsernen Couchtisch gelegt und es so versunken angeschaut, daß du geglaubt hast, sie sieht es zum erstenmal.

«Ist Ihnen schon einmal aufgefallen, wie viele schwermütige Menschen es in Zell gibt? Fast in jeder Familie gibt es einen Schwachsinnigen oder einen Schwermütigen. Und oft genug beides.»

Oft einmal sagen die Leute: Es hat mir einen Stich gegeben, aber natürlich, sie sagen es nur so, und in Wirklichkeit meinen sie nur, daß sie erschrocken sind, keine Rede von einem Stich. Aber wenn dir der Doktor eine fette Spritze direkt in den Magen sticht, das fühlt sich ungefähr so an, wie es dem Brenner jetzt gegangen ist. Wie die handlose Schwester des Vergolders auf einmal ihr perfektes Hochdeutsch aufgegeben hat. Und statt dessen in ihren ausgestorbenen Dialekt voller altmodischer Wörter verfallen ist:

«Viele Schwermütige.»

Den Brenner hat das Wort schon ganz schwermütig gemacht.

«Und viele Schwachsinnige. Zu viele Berge, zu enge Täler, zu kleine Dörfer. Wie ich schwanger geworden bin, bin ich zum Pfarrer gelaufen. Ein netter Pfarrer, der Pfarrer Reiter. Er hat gesagt: Zell war immer schon ein Inzestloch.»

«Ihr Kind, das ist der Lorenz gewesen. Und Ihr Bruder, der Vergolder, ist der Vater vom Lorenz gewesen.»

«Ich hätte ihn nicht Lorenz getauft. Aber bei der Taufe sind sie mich schon längst los gewesen.»

«Aber früher hat man die Kinder doch sofort getauft, nur ein paar Tage nach der Geburt.»

«Da sind sie mich schon los gewesen.»

«Und Sie haben Ihr Kind nie mehr gesehen?»

«Bis vor eineinhalb Jahren, wie ich zurückgekommen bin nach Zell. Da hab ich mich mit ihm angefreundet.»

«Und dann haben Sie ihm Ihre Geschichte erzählt, und er hat sie nicht verkraftet und drei Menschen mit ins Grab genommen.»

«Nichts hab ich ihm erzählt. Nur angefreundet, nichts erzählt. Der Lorenz hat nichts gewußt. Und umgebracht hat er auch keinen.»

«Außer seinem Vater.»

«Früher war das ganz normal.»

«Daß einer seinen eigenen Vater angezündet hat?»

«Das einzige, was nicht normal war, ist meine Liebe zu meinem Bruder gewesen. Daß er mich geschwängert hat, das war früher vielleicht auch nicht gerade normal, ist aber oft einmal vorgekommen. Aber ich natürlich. Habe ihn gleich lieben müssen. Er ist 24 gewesen und ich 17. Jung natürlich. Hab ich ihn gleich lieben müssen. Wie ich schwanger gewesen bin, hat er diese Amerikanerin kennengelernt. Wie das Kind da war, haben sie es mir weggenommen. Noch ein Bruder, der ist schon verheiratet gewesen. Der hat es genommen. Da bin ich davon. Aus dem Krankenhaus heim und gleich in der Nacht davon. Weil ich hab das Kind im Krankenhaus kriegen müssen, daheim keine Schande. Die Leute haben geglaubt, ich bin davon, weil ich ein lediges Kind heimgebracht habe. Haben sie geglaubt, ich bin in den See gegangen. Aber ich bin gar nicht in den See gegangen. Ich bin als Kellnerin nach Deutschland gegangen. Das war auch nicht viel besser. Hab mich vor den Zug gelegt. Aber dann im letzten Moment. Nur mit den Händen bin ich zu langsam gewesen.»

«Und nach 50 Jahren kommen Sie zurück und sorgen dafür, daß Ihr Sohn seinen Vater umbringt.»

«Er hat es ja nicht gewußt, daß es sein Vater ist. Und ich seine Mutter.»

«Aber der Haß, den Sie ihm eingeredet haben, hat so auch ausgereicht.»

«Der hat schon seinen eigenen Haß gehabt. Jedes Jahr ein Sparbuch. Sonst nur Verachtung. Ich habe dem Lorenz überhaupt nichts einreden müssen. Wir haben uns immer automatisch verstanden. Mutter und Sohn. Es hat sich alles von selbst ergeben.»

«Und die Schecks hat er auch automatisch gefälscht?»

«Das ist eine Dummheit gewesen vom Lorenz. Unterschreibt der einfach die Schecks, statt daß er zu mir kommt, wenn er Geld braucht.»

«Und die Elfi hat sie für ihn im Vergolder-Schloß geklaut. Genauso wie sie dort für Sie die Liftschlüssel besorgt hat.»

«Clare», hat die Clare gesagt.

Das ist alles gewesen. Dann hat keiner mehr was gesagt. Alle vier sind stumm dagesessen, und der Fernseher ist auch ohne Ton gelaufen. Und wie der Brenner sich langsam wieder gefangen hat, wie er schon zu einer Frage ansetzen hat wollen, ist es zu spät gewesen. Ein grausames Schnarren hat sie aufgeschreckt und aus ihrer Lethargie gebeutelt. Und die Person, die es erzeugt hat, hat den Finger nicht von der Klingel genommen, bis die Handlose den Türöffner gedrückt hat.

Einen Augenblick später sind schon die zwei Gendarmen

hereingestürmt: der Kollarik voraus, der Hochreiter hintennach. Und sind noch gar nicht richtig in der Wohnung gewesen, da hat sich der Kollarik schon die Seele aus dem Leib geschrien. Falls das überhaupt geht, daß man sich ein und dieselbe Seele immer wieder aus dem Leib schreit. Weil der Kollarik, zu dem haben die Zeller immer «Kolleriker» gesagt.

Jetzt, warum hat der den Brenner so angeschrien. Der Brenner hat nur soviel verstanden, daß der Taxler Goggenberger ihn angezeigt hat. Jetzt hat zwar der Hochreiter einen Stern weniger als der Kollarik auf seiner Uniform gehabt. Aber während der Kollarik noch herumgeschrien hat, hat der Brenner dem Revierinspektor Hochreiter etwas ins Ohr gesagt.

Der Hochreiter hat so eine rote Haut gehabt, da hast du gleich gesehen: Segeln oder Gletscher-Schifahren. Aber trotzdem. Mit jedem Wort vom Brenner ist sein Gesicht noch röter geworden. Und dann natürlich der Kontrast von der blauen Uniform. Daß sogar der Kollarik aufgehört hat zu schreien, wie er den Hochreiter rot anlaufen sieht.

Dann ist es schnell gegangen. Weil diese Dinge, zuerst ziehen sie sich Monate und Jahre, und dann, wenn es soweit ist, geht es so schnell, daß du es fast übersiehst.

Weil die Handlose hat sich gar nicht die Mühe gemacht, irgendwas abzustreiten. Und der Hochreiter sagt, aber interessant, was für einen Respekt der in seiner Stimme gehabt hat:

«Sie sind sich hoffentlich darüber im klaren, daß wir Sie mitnehmen müssen, Frau Antretter.»

Und das ist natürlich der Augenblick vom Kollarik gewesen. Der hat sowieso einen Zorn gehabt, daß er sich lächerlich gemacht hat mit seinem Geschrei. Da ist «mitnehmen» sein Stichwort gewesen. So schnell schaust du gar nicht, steht er schon bei der Schwester des Vergolders und hat die Handschellen heraußen.

Aber die Handlose hat nur eine verlegene Geste gemacht und mitleidig gesagt:

«Jetzt wissen Sie nicht, wo Sie bei mir die Handschellen hingeben sollen.»

14

Wie der Brenner seine Buwog-Wohnung aufgesperrt hat, ist es ihm vorgekommen, als wäre er wirklich ein Dreivierteljahr weg gewesen. Obwohl natürlich, der ist immer wieder einmal herausgefahren, nachschauen, ob alles ding ist.

Aber jetzt doch irgendwie sentimental, weil Zell abgeschlossen, und was soll jetzt aus dem Brenner werden. Du darfst eines nicht vergessen, das ist ja ein ausgesprochener Glücksfall gewesen, daß der gleich diesen Auftrag bekommen hat, wie er von der Kripo weggegangen ist.

Eines hat er aber noch zu tun gehabt. Weil er hat jetzt endlich den Bericht für das Detektivbüro Meierling schreiben müssen. Und weil er schon gewußt hat, wenn ich ihn nicht gleich schreibe, schreibe ich ihn überhaupt nicht mehr, hat er sich nicht einmal einen Kaffee gemacht. Nur schnell eine Tablette, weil die erste, die er schon im Zug genommen hat, hat überhaupt nicht gewirkt. Aber dann sofort die Schreibmaschine ausgepackt und geht schon.

Aber in dem Moment, wo er gerade das Datum schreiben will, läutet das Telefon. Jetzt – soll ich hingehen, oder soll ich nicht hingehen, aber es hört nicht auf zu läuten, geht er doch hin:

«Ja – Brenner.»

«Habe die Ehre, Brennero!»

«Sie haben sich leider verwählt, das ist der automatische Anrufbeantworter.»

«Untertänigst! Das trifft sich gut! Hier ist der automatische Fragensteller, Monsieur Mandl!»

«Ich hab leider nur einen Viertelanschluß, Mandl. Die Nachbarn wollen auch einmal telefonieren.»

«Bei einem Viertelanschluß kann man ja gar keinen Anrufbeantworter anschließen. Du wirst es doch nicht persönlich sein, Brenner?»

«Was willst du, Mandl?»

«Interview mit dem genialen Geheimspion.»

«Geh zum Nemec, der macht so was gern.»

«Das ist Arbeitsbehinderung, Brenner. Und wenn du jetzt stempeln gehst, wer soll dann deine Arbeitslose bezahlen, wenn ich nicht arbeite?»

«Ich geh nicht in die Arbeitslose.»

«‹Der nächste Fall wartet schon auf den genialen Geheimspion!› Das wird unseren letzten Leser interessieren.»

«Nichts nächster Fall.»

«‹Aber top-secret, er darf nicht darüber sprechen!› Da wird unser letzter Leser volles Verständnis dafür haben!»

«Horch zu, Mandl, entweder du redest jetzt normal –»

«Oder du erzählst mir, wie du das herausgefunden hast.»

«Was denn, Mandl?»

«Daß die Deutsche mit keinen Händen dran die Schwester vom Vergolder ist.»

«Das ist dein Verdienst gewesen, Mandl.»

«Du, das überrascht mich jetzt überhaupt nicht.»

«Wie die gefälschten Schecks aufgetaucht sind, die der Lorenz mit dem Namen von den beiden Parsons signiert hat.»

«Einmaliges Zeichentalent, der Lorenz. Da ist eine Unterschrift nichts.»

«Und sicher weißt du auch noch deine Überschrift von dem Artikel.»

«Einmaliges Schreibtalent, der Mandl. Einmalig! Aber da mußt du mir jetzt helfen.»

«Auferstehung der Toten.»

«Jajaja, obwohl gar nicht Ostern gewesen ist.»

«Wie hast du das damals eigentlich gemeint?»

«Ja, wenn die Parsons nach ihrem Tod noch Schecks ausstellen. Müssen sie ja fast auferstanden sein. Bei Jesus ist das auch nicht anders gewesen.»

«Also Plural: die Toten. Genitiv: der Toten.»

«Ja, sag einmal, Brenner!»

«Aber bei Jesus, da hätten wir Singular: Auferstehung des Toten.»

«Ja, sag einmal, Brenner, zu was fragst du mich das alles?»

«Wozu, Mandl, man sagt: wozu! Und wie heißt es richtig, wenn die Vergolder-Schwester auferstanden ist?»

«Da heißt es, aha! Wieder: Auferstehung der Toten.»

«Genau. Weil zu was haben wir eine Grammatik.»

«‹Der Duden-Detektiv!› Da wird unser letzter Leser stolz auf dich sein, Brenner. Und die Tote ist nach fünfzig Jahren auferstanden, nur damit sie zwei andere umbringt. Praktisch unchristliche Auferstehung.»

«Vielleicht hat sie ihren Bruder ja nur nervös machen wollen.»

«‹Der Gespenstertrick!› Hat aber nicht gezogen. Sie taucht nach fünfzig Jahren wieder auf, aber die Zeller erschrecken einfach nicht. Gespenst vollkommen vergessen. Muß es ein bißchen umrühren in Zell. Geschichten herumerzählen. Heidnische Kirche aufhetzen.»

«Aber ihr erschreckt immer noch nicht.»

«Genau, da erschrecken wir nicht so schnell. Also muß das Gespenst noch ein bißchen mehr umrühren.»

«Aber ihr erschreckt immer noch nicht, genau, Mandl.»

«Doch, da sind wir schon erschrocken, ich und mein Leser, daß da bei uns Tote mit dem Schilift fahren.»

«Aber nur, weil sie keine Tageskarte gehabt haben.»

«Geh, Brenner, was tust du in der Nacht mit einer Tageskarte. Aber eines mußt du mir schon noch erklären. Wieso ist das Gespenst so umständlich. Ich meine, Gespenster sind doch normal nicht so umständlich. Normal nimmt so ein Gespenst einen Revolver. Aber nicht Schilift.»

«Außer das Gespenst hat keine Hände mehr.»

«Logisch, außer das Gespenst hat keine Hände mehr. Da ist es mit den groben Liftschaltern besser dran.»

«Das war's dann, Mandl.»

«Aber wie bringt dich so ein Gespenst dazu, daß du dich in der Nacht in den Schilift setzt? Wie lockt es dich da?»

«Ganz einfach.»

Der Brenner hat es gar nicht richtig gemerkt. In der linken Hand hat er noch den Hörer gehalten, aber wie wenn der rechte Zeigefinger einen eigenen Willen gehabt hätte. Hat der einfach auf die Gabel gedrückt, und weg war der Mandl.

Da muß man ehrlich sagen, der Mandl hat einfach kein Talent zum Journalisten gehabt. Jedes Detail hat ihn interessiert. Aber wie der Lorenz von seinen Eltern aufgerieben worden ist, vom Vergolder und seiner Schwester, einer brutaler als der andere. Da hätte der Mandl eine Tragödie draus machen können, praktisch griechische, aber nein.

Jetzt, gibt es vielleicht doch eine Telepathie oder ding, weil in dem Moment, wo sich der Brenner denkt, schade um die Kati Engljähringer, und vielleicht ruf ich sie noch einmal an, Zeit hätte ich ja, läutet das Telefon schon wieder, und natürlich wieder der Mandl:

«Die Antretter-Schwester hat der Polizei erzählt, daß es der Lorenz war, der den Liftschlüssel und die Schecks bei seinem Onkel organisiert hat.»

«Wird schon so gewesen sein», sagt der Brenner.

Weil die Elfi, die hat jetzt einen toten Vater gehabt, der offiziell nie ihr Vater gewesen ist. Und die Schule abgebrochen. Und Stelle natürlich auch keine mehr. Und der Lorenz tot. Und die einzige, die sich um sie gekümmert hat, im Gefängnis. Und der Brenner hat sich gedacht, die Elfi sitzt jetzt in Zell, und die ist gestraft genug. Aber der Mandl sagt:

«Jetzt hab ich aber da einen frisch getippten Artikel liegen, der den Mandl berühmt machen wird. Weil er aufdeckt, daß die Elfi den Liftschlüssel besorgt haben muß. Außerdem hat sie der alten Amerikanerin bei der Bergstation in den Sessel geholfen, während die Handlose mit ihm bei der Talstation gewartet hat.»

«Wie machst du das eigentlich beim Rasieren, wenn du dabei immer den Spiegel ankotzt?»

«Elektrisch, Brenner. Mit dem Philishave, da bin ich ein Chef beim Rasieren. Aber der gute Mensch Mandl schlägt dir jetzt einen kleinen Handel vor. Ein Geschäft, Brenner.»

«Für wen ein Geschäft?»

«Für die kleine Elfi Lohninger alias Clare Corrigan ein Geschäft. Weil ich leg den Artikel jetzt einmal nur in meine Schublade. Und da bleibt er auch. Bis zu dem Moment, wo es dir einfallen sollte, bei der lieben Frau Lehrerin Kati Engljähringer anzurufen oder sie sonst in irgendeiner Weise zu kontaktieren.»

«Du bist ja doch ein Mensch, Mandl. Dann grüß mir die Engljähringer schön, falls das noch nicht unter Kontaktieren fällt.»

Jetzt der Bericht. Ganz sofort geht es nicht, hat sich der Brenner gedacht, und es ist ja erst halb sieben gewesen. Und vielleicht nehme ich vorher noch eine Migradon. Weil natürlich, beim Telefonieren ist sein Kopfweh noch ärger geworden.

Jetzt geht er zuerst einmal zum Briefkasten, vielleicht eine erfreuliche Post. Aber nur ein Buwog-Brief. Der hat so offiziell ausgeschaut, daß ihn der Brenner heute lieber nicht aufgemacht hat.

Jetzt der Bericht. Lieber wäre er schlafen gegangen, obwohl es erst kurz nach halb sieben war. Weil drei Migradon, und nicht die geringste Wirkung. Aber kein Wunder, weil an dieses Jahr werden sich die Leute noch lange erinnern.

Jetzt darfst du eines nicht vergessen. Es ist schon der 25. September gewesen. Und immer noch 27 Grad. Und ob du es glaubst oder nicht. Dreizehn Stunden später ist der Brenner von dem Lärm aufgewacht, den der Hausmeister beim Schneeschaufeln gemacht hat.

B 13/2

Wolf Haas

«Wolf Haas schreibt die komischsten und geistreichsten Kriminalromane.» Die Welt

Brenners erste Fälle
Auferstehung der Toten
Der Knochenmann
3-499-23705-9

Auferstehung der Toten
Roman
«Ein erstaunliches Debüt. Vielleicht der beste deutschsprachige Kriminalroman des Jahres.» (FAZ)
Ausgezeichnet mit dem Deutschen Krimi-Preis 1997.
3-499-22831-9

Der Knochenmann
Roman. 3-499-22832-7

Komm, süßer Tod
Roman
Ausgezeichnet mit dem Deutschen Krimi-Preis 1999. 3-499-22814-9

Silentium!
Roman
Ausgezeichnet mit dem Deutschen Krimi-Preis 2000. 3-499-22830-0

Ausgebremst
Der Roman zur Formel 1
3-499-22868-8

Wie die Tiere
Roman
Der beste Freund des Hundes ist der Pensionist – und das Kleinkind sein natürlicher Feind … «So wunderbar, dass wir beim Finale weinen müssten, hätten wir nicht schon alle Tränen vorher beim Lachen verbraucht.» (Die Zeit)

3-499-23331-2

Weitere Informationen in der Rowohlt Revue oder unter www.rororo.de

Roman Rausch bei rororo

**«Ein neuer Tatort oder gar ein Schimanski?
Kilian braucht den Vergleich nicht zu scheuen.»**
Bayerischer Rundfunk

Wolfs Brut
Ein Fall für Kommissar Kilian
Der EU-Sicherheitsgipfel ist zu Gast in der Residenzstadt am Main. Die Sicherheitsvorbereitungen laufen auf Hochtouren. Ein tödlicher Fenstersturz des Regierungspräsidenten trübt allerdings das schöne Bild perfekter Organisation. Der strafversetzte Kommissar Kilian soll die Ermittlungen möglichst rasch und leise zum Abschluss bringen. Dabei gerät er zwischen die Fronten der Geheimdienste.
3-499-23651-6

Die Zeit ist nahe
Kommissar Kilians dritter Fall
Mord in Würzburg, Aufruhr im Vatikan. 3-499-23837-3

Der Gesang der Hölle
Kommissar Kilians vierter Fall
3-499-23890-X
Kilian freut sich auf sein Sabbatjahr in Italien, doch ohne weiteres lässt ihn Würzburg nicht ziehen. Am Mainfrankentheater soll *Don Giovanni* in Kürze Premiere feiern. Und soeben wurde die Leiche des Regisseurs gefunden ...

Tiepolos Fehler
Kommissar Kilian ermittelt
«Für Krimifreunde ein Genuss. Und für Würzburg ein echter Glücksfall.» *(Bayernkurier)*

3-499-23486-6

Weitere Informationen in der Rowohlt Revue oder unter www.rororo.de